THÉÂTRE
D'ENFANTS

THÉÂTRE GISELA WALTER
D'ENFANTS

COMMENT MONTER UN SPECTACLE ?

casterman

Vous êtes passionné des jeux de théâtre ?
Un autre titre du catalogue Casterman
vous intéressera également :

En scène de P. Favaro dans la collection
Les heures Bonheurs

Photos : Danilo Lex
Illustrations : Anke Lintz
Textes des pièces : Bernd Kohlhepp, Fribourg
(pages 26, 27, 56-59, 88, 89, 94, 95, 138, 139)
Objets utilisés pour les photos : Barbara Löschenkohl

Publié pour la première fois par Falken-Verlag GmbH. 65527
Niedernhausen/Ts sous le titre **Kinder spielen theater**.
Traduction française : Marie-Caroline Frappart et Vincent
Deligne

Imprimé en Belgique.

Dépôt légal septembre 1995 ; D1995/0053/4
Déposé au Ministère de la Justice, Paris
(loi n°49.956 du 16 juillet 1949 sur les publications destinées
à la jeunesse).

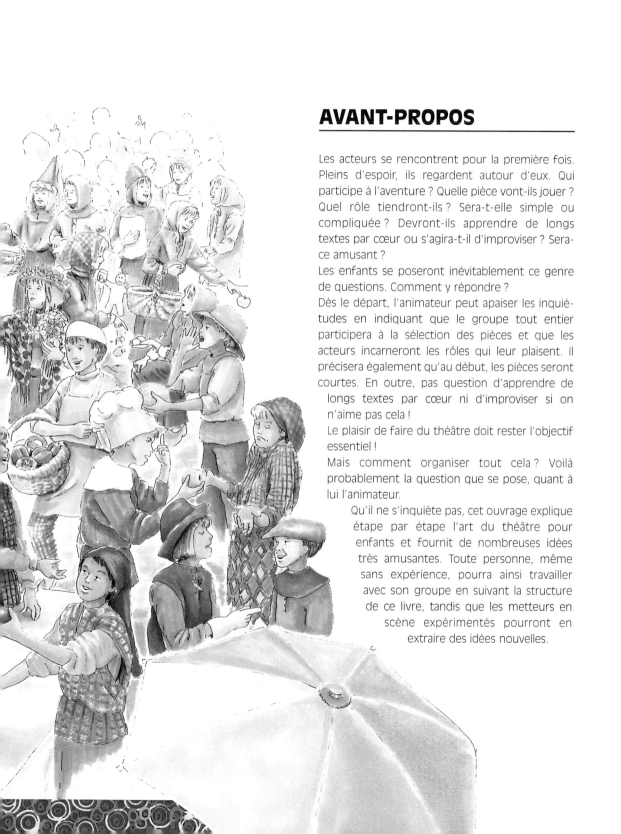

AVANT-PROPOS

Les acteurs se rencontrent pour la première fois. Pleins d'espoir, ils regardent autour d'eux. Qui participe à l'aventure ? Quelle pièce vont-ils jouer ? Quel rôle tiendront-ils ? Sera-t-elle simple ou compliquée ? Devront-ils apprendre de longs textes par cœur ou s'agira-t-il d'improviser ? Sera-ce amusant ?

Les enfants se poseront inévitablement ce genre de questions. Comment y répondre ?

Dès le départ, l'animateur peut apaiser les inquiétudes en indiquant que le groupe tout entier participera à la sélection des pièces et que les acteurs incarneront les rôles qui leur plaisent. Il précisera également qu'au début, les pièces seront courtes. En outre, pas question d'apprendre de longs textes par cœur ni d'improviser si on n'aime pas cela !

Le plaisir de faire du théâtre doit rester l'objectif essentiel !

Mais comment organiser tout cela ? Voilà probablement la question que se pose, quant à lui l'animateur.

Qu'il ne s'inquiète pas, cet ouvrage explique étape par étape l'art du théâtre pour enfants et fournit de nombreuses idées très amusantes. Toute personne, même sans expérience, pourra ainsi travailler avec son groupe en suivant la structure de ce livre, tandis que les metteurs en scène expérimentés pourront en extraire des idées nouvelles.

JEUX DE RÔLE

CONTES ET LÉGENDES

PANTOMIME

PIÈCES MASQUÉES

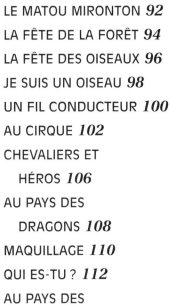

THÉÂTRE D'OMBRES

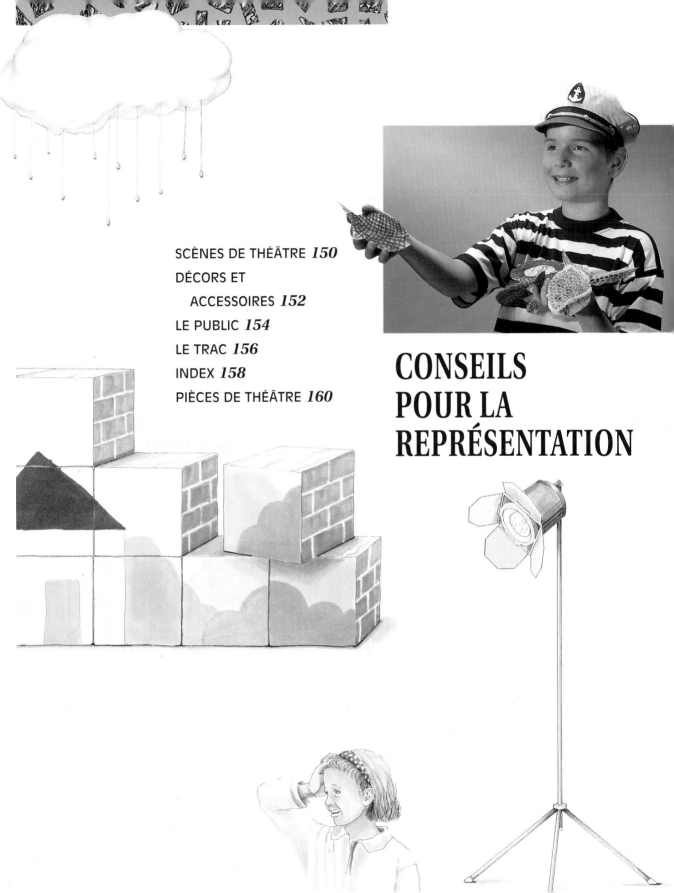

CONSEILS POUR LA REPRÉSENTATION

JEUX DE RÔLE

Interpréter un personnage réel ou imaginaire vivant une situation donnée, à une date et dans un lieu précis, cela peut s'apprendre grâce à des jeux amusants et à des saynètes simples. Voici donc une initiation en douceur à de véritables textes théâtraux. De manière ludique, les acteurs en herbe découvriront que jouer un rôle ce n'est pas seulement mettre un costume, c'est adopter une attitude, une voix, un caractère. C'est également aiguiser son sens de l'observation : même les événements les plus quotidiens peuvent faire l'objet d'un spectacle intéressant. Imiter son professeur qui se fâche c'est déjà faire du théâtre !

L'ÉCHAUFFEMENT, C'EST IMPORTANT

Le groupe est réuni, que la fête commence ! Mais avant d'entamer le jeu théâtral, rien de tel qu'un bon échauffement ! Voici quelques exercices d'expression corporelle qui mettront les petits acteurs dans l'ambiance.

GRIMPER À LA CORDE

Debout, tous les acteurs s'étirent et s'allongent. Ils s'efforcent d'atteindre le plafond avec leurs mains. Impossible ? Allons, un peu d'imagination : du plafond pendent des cordes auxquelles on peut grimper.
L'exercice demande des efforts répétés. Pour terminer, tous les enfants se penchent en avant et secouent mollement les bras afin de se détendre de cette fatigante "escalade".

ARBRES DANS LE VENT

Les acteurs se transforment en arbres et leurs bras symbolisent les longues branches tendues vers le ciel. Attention de ne pas heurter les autres participants ! Un vent léger commence à souffler, les arbres se balancent doucement de droite et de gauche. Mais bientôt la tempête fait rage et ils se penchent fortement sur le côté. Enfin, le vent se calme et tous laissent tomber les bras.

ENRACINEMENT

Les enfants se tiennent debout, écartent les jambes et imaginent que celles-ci sont des racines profondément enfoncées dans la terre. Ainsi enracinés, il leur est impossible de bouger. Mais lorsque l'animateur frappe dans les mains, ils se libèrent du sol. Tous agitent alors les jambes.

MARIONNETTE

Chacun est une marionnette suspendue à un fil. Celui-ci est fixé à la tête, tandis que les bras pendent mollement. Soudain, quelqu'un semble vouloir actionner la ficelle : la marionnette relève d'abord la tête, étire le cou, relève le dos... ses pieds finiraient par ne plus toucher terre, si la ficelle n'était pas relâchée à temps. Et la marionnette retrouve sa position initiale.

Conseil : Ces exercices d'assouplissement et d'étirement améliorent la mobilité corporelle des acteurs, raffermissent leurs muscles. Il est donc bon de les répéter successivement au début de chaque séance.

Se déplacer

Tous les enfants ne se déplacent pas facilement dans une pièce, aux yeux de tous. Les exercices suivants visent à leur faire vaincre leur peur.

Poussez les tables et les chaises contre le mur. Il doit y avoir suffisamment de place pour que chacun puisse aller et venir dans la pièce. Attention de ne bousculer personne ! Le meneur de jeu pose un haut-de-forme sur sa tête et, tel un directeur de cirque, donne les indications de mise en scène.

Au bout d'un certain temps, échangez les rôles : un nouveau maître de jeu prend la parole pour, par exemple, affirmer :

- Vous vous rendez à la gare et êtes très pressés. Marchez aussi vite que vous le pouvez !
- À présent, vous flânez dans un parc par une belle journée de printemps, le soleil brille.
- Vous partez en randonnée. Sac au dos, vous marchez dans une prairie. À présent, vous escaladez une montagne, vous progressez donc plus lentement. Vous voulez maintenant atteindre le sommet et, fatigués, vous arrivez finalement au but. Vous y restez quelques instants afin d'admirer le panorama qui s'offre à vous.
- Vous allez assister à une représentation théâtrale et vous vous êtes mis sur votre trente et un. Vous avez encore un peu de temps devant vous et vous vous promenez devant l'entrée du théâtre. Vous observez les autres spectateurs furtivement et remarquez leur grande distinction. Mais très rapidement, vous notez que les autres, eux aussi, vous regardent à la dérobée.

Jouer à deux

Les enfants se groupent deux par deux et l'animateur donne les instructions. Si les acteurs sont plus âgés, vous pouvez inscrire celles-ci sur des fiches qu'ils tireront au sort dans un chapeau. Pour les enfants plus jeunes, énoncez simplement les thèmes.

Pour les enfants plus âgés

- Un couple très distingué se promène dans la rue.
- Deux voleurs marchent à pas de loup dans la pièce.
- Deux fripons prévoient un mauvais coup et cherchent une cachette.
- Deux commères font leurs courses.
- Deux propriétaires de chiens se baladent.
- Deux écoliers arrivent en retard à l'école.

Pour les plus jeunes enfants

- Le roi et son serviteur se rendent dans la salle du trône.
- Deux brigands cherchent une cachette pour leur butin.
- Deux géants se promènent dans la forêt.

POUR CRÉER L'AMBIANCE

Les enfants, se réunissant pour faire du théâtre, aiment commencer rapidement ! Ils se glissent aisément dans la peau d'un autre personnage et éprouvent rarement de la difficulté à représenter quelque chose dans un jeu scénique.

Pour les enfants en âge d'aller à la maternelle surtout, le jeu de rôle est une activité quotidienne à laquelle ils adorent se livrer avec leurs amis, leurs poupées ou leurs peluches. Les enfants d'âge scolaire, quant à eux, apprécient ce jeu s'il met en scène des aventures ou s'il s'agit d'imiter quelqu'un – pour le plus grand plaisir de leurs petits camarades. Sachez à cet égard qu'ils ont une prédilection pour les personnages respectables tels l'instituteur sévère ou le père en colère.

Bref, les enfants maîtrisent parfaitement le jeu théâtral spontané. Si, au début de l'après-midi de jeu, ils peuvent se défouler avec de courtes scènes amusantes, l'ambiance sera parfaite.

OBSERVER ATTENTIVEMENT

Un jeu sans paroles ! Catherine, Virginie, Jérémie et Mathieu sont volontaires et doivent dans un premier temps quitter la pièce. Les autres enfants imaginent une situation. Ils appellent Catherine qui revient dans la pièce et l'un des enfants mime la scène. Catherine doit être très attentive, car elle devra ensuite la reproduire pour Virginie. Celle-ci doit elle aussi observer attentivement, car il lui faudra rejouer la scène pour Jérémie qui devra à son tour le faire pour Mathieu.

Ce jeu amusera beaucoup les enfants, car de comédien en comédien, l'histoire se modifiera de plus en plus. Pour finir, demandez aux quatre acteurs d'intituler chacun leur pièce. Il se pourra que "Changer le bébé" devienne "Laver la voiture" ou que "Arroser les plantes" se transforme en "Circulation routière".

Voici quelques idées de thèmes :

- Composer un bouquet de fleurs multicolores. Choisir soigneusement les fleurs, les disposer avec art, s'enivrer de leur parfum et les offrir à un spectateur étonné.
- Confectionner une tarte, puis se régaler du reste de pâte et lécher le plat de crème fraîche ; pendant ce temps, le fond de la tarte est presque brûlé.
- Rédiger un devoir en classe. L'écolier ne sait rien, personne ne l'aide ni ne le laisse copier. Finalement, quelqu'un fait passer un antisèche… et que se passe-t-il alors ?

DEVINER

Cette fois, ce sont les acteurs qui imaginent un sketch et les spectateurs qui doivent deviner. À vous de décider si les comédiens présentent l'action avec des textes ou s'ils la miment. Que vont-ils jouer ? Le thème général peut certes être divulgué, mais le public doit deviner les détails.

Exemples :

◆ Chansons pour enfants

Jouer "Petit Jean", par exemple : un garçon enfile ses chaussures, emmène son chapeau et sa musette, prend congé de sa mère et part. Sa mère reste sur le seuil de la maison et pleure...

◆ Contes pour enfants

Interpréter "Les trois petits cochons" : trois porcelets quittent la maison de leur mère et partent dans le vaste, vaste monde. Sans le savoir, ils sont déjà suivis par un quatrième acteur, le loup, qui ne rêve que d'une chose...

Pour les plus jeunes enfants

◆ Comptines

Les tout-petits aiment mettre en scène ce type de texte, car ils les connaissent par cœur. La représentation gestuelle de la comptine ne leur pose vraiment aucun problème, car l'histoire existe depuis longtemps déjà dans leur imagination sous forme d'images en mouvement.

Bien évidemment, les enfants choisiront uniquement leur poésie préférée, par exemple :

POLICHINELLE

Polichinelle
Monte à l'échelle
Un peu plus haut
Se casse le dos
Un peu plus bas
Se casse le bras
Trois coups de bâton
En voici un
En voici deux
En voici trois

À VENDRE

J'ai des poules à vendre
Des noires et des blanches
J'en ai plein mon grenier
Elles descendent les escaliers
Quatre, quatre, pour un sou
Mademoiselle, mademoiselle
Quatre, quatre, pour un sou
Mademoiselle, en voulez-vous ?

JEUX DE RÔLE

Pour le jeu de rôle, l'acteur peut se métamorphoser en un personnage qu'il connaît. Il en imite la voix, la manière de parler, l'expression particulière du visage, les mouvements et attitudes singuliers. Bref, il se glisse dans la peau de l'autre et se comporte comme celui-ci.

Le rôle choisi peut également correspondre à un personnage imaginaire à qui l'on attribue un comportement typique. Il peut s'agir d'un policier bourru à la démarche rigide, au regard dur et à la voix autoritaire ; ou encore d'un perfide voleur qui rôde, tête et épaules rentrées, tout en regardant avec méfiance autour de lui.

Il sera possible ensuite d'intégrer les rôles du policier et du voleur dans une même pièce et les spectateurs reconnaîtront immédiatement les deux personnages, même si les acteurs ne sont pas déguisés. Ils sera amusant de créer divers couples d' "opposés" de ce type : le marchand et la vendeuse, le prisonnier et le geôlier, l'élève et le professeur, etc.

Une chose intéressante à savoir : voici 400 ans, le texte des acteurs était inscrit

sur une grande feuille de papier collée et enroulée. C'est la raison pour laquelle on parle aujourd'hui encore de "rôle".

IMITER

Les enfants adorent imiter d'autres personnes. Cependant, il convient dans un premier temps d'observer attentivement celles-ci. Les petits enfants ne s'en privent d'ailleurs pas qui singent parfaitement certains comportements de leurs parents !

Malheureusement, en grandissant, ce don d'observation et d'imitation se perd.

Il est donc important de mettre l'accent sur cet aspect des choses.

Vous trouverez sur la page ci-contre quelques exercices à l'attention des acteurs.

QUI ? QUOI ? COMMENT ?

Comment une vendeuse emballe-t-elle des pommes dans un sachet en papier ? Quelle mimique fait le caissier au guichet de la banque pour compter l'argent ? Quelle attitude le peureux Dominique adopte-t-il quand il passe près d'un grand chien ? Et comment se rencontrent deux amis qui se sont reconnus de loin ? Comment se comporte un monsieur inconnu dans un bus rempli d'écoliers ? Où regardent les gens serrés comme des sardines dans un ascenseur bondé ?

Quoi de plus amusant que de singer ces comportements ou d'autres dans un sketch ? Pourquoi ne pas proposer que différents acteurs jouent la même situation les uns après les autres. Vous vous apercevrez ainsi rapidement que les représentations varient suivant les expériences de chacun.

Alors dès maintenant, un seul mot d'ordre pour tous les acteurs : regardez votre entourage et observez qui fait quoi et comment ! Il importe de prêter une grande attention aux expressions du visage, aux mouvements des mains, à la démarche et aux autres particularités.

DEVINE QUI JE SUIS !

Règle du jeu : L'un des enfants du groupe pense à une personne connue et joue le rôle de celle-ci dans un petit sketch.

Les autres doivent deviner de qui il s'agit. Ils doivent toutefois attendre la fin du numéro et laisser suffisamment de temps à l'acteur pour incarner son rôle avant d'applaudir et de proposer des réponses.

Si les enfants s'entendent bien les uns avec les autres, ils peuvent mutuellement se donner des trucs et des conseils permettant d'interpréter encore mieux le rôle choisi.

Grâce à ce jeu, les fous rires sont garantis ! En effet, les spectateurs éprouveront beaucoup de plaisir en voyant Aglaé se fâcher comme son institutrice, Bruno gesticuler comme son père en colère, Sabine vendre des petits pains comme la boulangère d'à côté et Charlotte regarder avec curiosité derrière le rideau de la fenêtre comme la voisine.

TROUVER LES RÔLES

Bonne idée que de faire une surprise à ses parents pour la Noël en leur interprétant une petite pièce de théâtre. Mais le sujet choisi, par où commencer ? Qui jouera quel rôle ?

Voici quelques idées pratiques dont les acteurs pourront discuter entre eux.

Chaque personnage a des caractéristiques bien particulières dont il faut tenir compte :

L'ÂGE

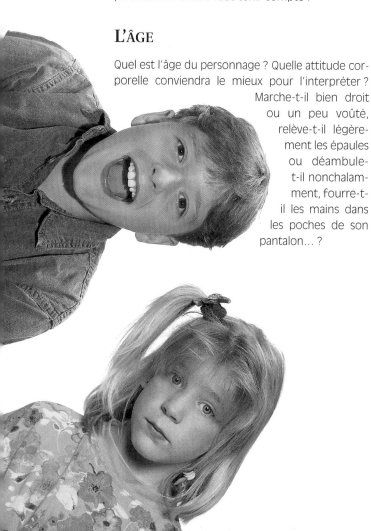

Quel est l'âge du personnage ? Quelle attitude corporelle conviendra le mieux pour l'interpréter ? Marche-t-il bien droit ou un peu voûté, relève-t-il légèrement les épaules ou déambule-t-il nonchalamment, fourre-t-il les mains dans les poches de son pantalon… ?

LE CARACTÈRE

La personne est-elle enjouée, gaie, morose, insolente ou timide ? Comment les spectateurs peuvent-ils la reconnaître ? Peut-être à l'expression du visage : la personne peut regarder autour d'elle avec assurance ou scruter le sol avec inquiétude, elle peut sourire en penchant légèrement la tête sur le côté ou regarder fixement devant elle en fronçant les sourcils.

L'HUMEUR

La personne est peut-être de bonne humeur ou fatiguée, malade ou nerveuse ? S'est-il passé un événement qui l'effraie, la fâche ou l'angoisse ? Ou, au contraire, quelque chose de merveilleux et d'inespéré est-il arrivé, si bien qu'elle est au comble de la joie. Comment exprimer cet état d'esprit ? Un homme fatigué a une démarche traînante, tandis qu'un individu de bonne humeur se déplace à un bon rythme. Une personne effrayée ouvrira proba-

blement les yeux tout grands et placera les deux mains devant la bouche. Un individu qui se réjouit pourra se balancer de plaisir sur sa chaise et regarder autour de lui d'un air rayonnant (voir chapitre 3 "Pantomime").

LA VOIX

Le personnage a-t-il une voix aiguë ou grave ? Son débit est-il lent ou rapide ? Bégaie-t-il d'énervement ou fait-il de longues pauses lorsqu'il parle, parce qu'il réfléchit ou qu'il rêve ? Une voix en colère ou énervée sera perçante, tandis que les voix douces et apaisantes seront plutôt graves et lentes.

LE LIEU

Où se déroule l'histoire ? À l'intérieur ou à l'extérieur ? S'agit-il d'un endroit exigu, par exemple un ascenseur, ou d'un lieu très vaste comme une prairie ou un parc de jeux ? Les acteurs occupent l'espace différemment suivant les cas.

EN SCÈNE

Chaque acteur cherche un rôle qui lui convient (voir page suivante). En cas de problème, vous pouvez vous servir d'une comptine pour attribuer les rôles. Qui sera le petit frère insolent ?

Les acteurs forment un cercle, chantent et miment une comptine :

Croa, croa, croa
Les corbeaux sont dans les bois
Ils mangent de la soupe aux pois
avec une cuillère en bois
Sur le toit
S'il en manque un
C'est toi !

HISTOIRES DE TOUS LES JOURS

TROUVER DES IDÉES DE JEUX

Pas de plaisir sur scène sans bonnes idées soutenues par des textes appropriés.

Mais des thèmes jugés amusants par un groupe feront peut-être bâiller d'ennui d'autres personnes. Que certains acteurs hurlent de rire à propos d'un sketch n'implique pas nécessairement l'enthousiasme des autres. Tout dépend donc des enfants eux-mêmes : laissez-les choisir ensemble la scène à jouer.

Peut-être l'un d'entre eux connaît-il une histoire palpitante, un autre une blague désopilante et un troisième a-t-il entendu une anecdote pittoresque ?

Il n'existe pratiquement aucun événement qui ne puisse être joué. L'histoire figurant sur cette page n'est donc qu'une proposition qui donnera éventuellement des idées aux acteurs, rappellera peut-être à l'un des membres du groupe d'autres situations comiques ou plaisanteries.

Il convient à présent d'envisager l'action de la pièce. Un conseil : introduisez-la comme une histoire véridique. Ce type de description peut fournir en même temps des indications de mise en scène.

MAIS QUAND TOUT CELA VA-T-IL DONC FINIR ?

Racontez la situation suivante : Tante Marie était venue en visite et on la reconduit à la gare. Toute la famille l'accompagne. Le train attend déjà en bordure du quai et Tante Marie monte dans le wagon. Mais elle reste à la porte pour faire des signes d'adieu. Tous lui répondent. Et comme le train ne démarre pas, les enfants remercient une fois encore la tante de sa visite et des cadeaux qu'elle a apportés. Le train ne bougeant toujours pas, Tante Marie remercie à son tour la famille pour la belle journée qu'elle a passée. Les minutes s'écoulent, elle félicite les gentils enfants pour le délicieux gâteau qu'ils avaient préparé.

Le train reste désespérément à quai et les remerciements, les saluts, les signes et les adieux n'en finissent plus. Les enfants ont déjà remercié leur tante à trois reprises pour les cadeaux, tandis que celle-ci les félicite pour le café, le lait et le sucre et ne sait plus ce qu'elle peut encore dire ! La scène des adieux est de plus en plus comique. Quand ce jeu va-t-il enfin cesser ? Les acteurs peuvent le déterminer eux-mêmes en sentant les réactions des spectateurs.

En fin de sketch, Tante Marie descend du wagon pour embrasser une dernière fois sa famille. À ce moment, le train part enfin ! Tante Marie est sur le quai sans ses valises… Tout est à recommencer.

AVEC DES CHAPEAUX TOUT EST PLUS FACILE

Dorénavant, plus question de jeter un seul chapeau, conservez-les tous dans un grand coffre d'accessoires de théâtre ! Vous pouvez également demander à vos proches et à vos amis d'en faire autant ou rédiger une lettre comique à cet effet et la leur envoyer. Tout bonnet, casquette ou chapeau de carnaval pourra être utile : du vieux haut-de-forme d'Oncle Henri au merveilleux chapeau de soleil à voilette de Mademoiselle Labelle…

Mais si vous ne trouvez pas de chapeau, confectionnez-en vous-mêmes. Avec de la colle et des

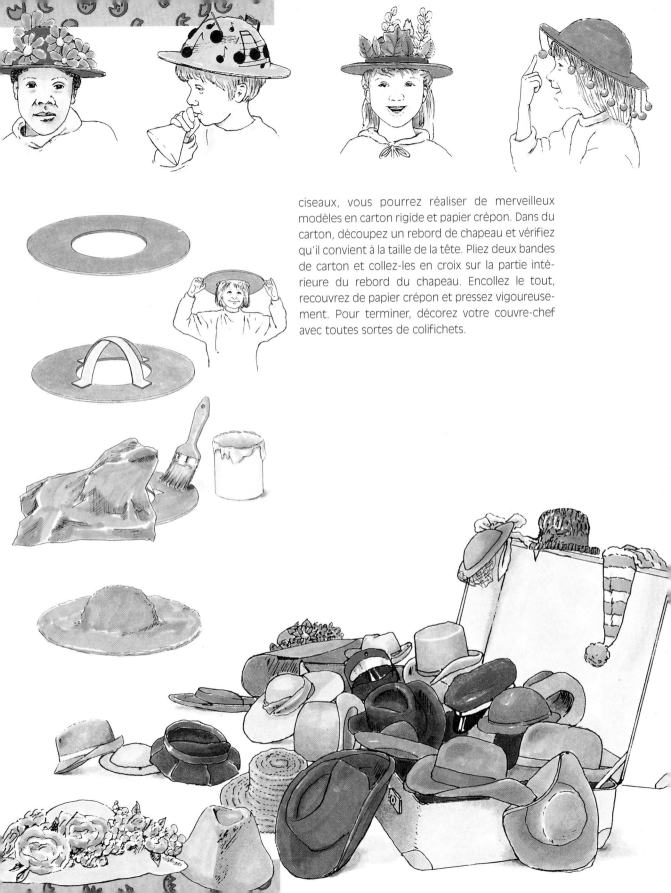

ciseaux, vous pourrez réaliser de merveilleux modèles en carton rigide et papier crépon. Dans du carton, découpez un rebord de chapeau et vérifiez qu'il convient à la taille de la tête. Pliez deux bandes de carton et collez-les en croix sur la partie intérieure du rebord du chapeau. Encollez le tout, recouvrez de papier crépon et pressez vigoureusement. Pour terminer, décorez votre couvre-chef avec toutes sortes de colifichets.

QUELLE SERA LA FIN ?

Les jeux de rôle vont souvent bien au-delà du simple jeu ou divertissement. Les enfants apprennent en effet de nouveaux modes de comportement, les essaient et testent leurs effets sur d'autres personnes lors de la représentation. Ce peut être une excellente manière d'exprimer des sentiments et d'en parler ensemble.

Sur ces deux pages, vous trouverez des débuts de scènes de la vie quotidienne, dont le groupe imaginera lui-même la chute. Sachez à ce propos que les possibilités existantes sont pratiquement infinies. Ce sont les expériences et observations du groupe, et elles seules, qui détermineront la scène retenue. Les enfants décideront eux-mêmes s'ils porteront des costumes pour la représentation, s'ils utiliseront des accessoires, confectionneront des décors ou s'ils feront "comme si", et tous ces aspects devront être réabordés pour chaque pièce envisagée.

Pour les plus jeunes enfants

C'EST À MOI

Pour son anniversaire, Laura s'est vu offrir une magnifique poupée. Fièrement, elle la montre à ses amis Paul, Marie et Christelle. Mais lorsque Marie demande à prendre le jouet dans ses bras, Laura refuse et se détourne. Personne ne doit toucher sa poupée préférée. Elle n'appartient qu'à elle. Ses amis sont étonnés. Ne devaient-ils jouer ensemble ?

Vexés, les trois enfants abandonnent la lutte et jouent avec les autres poupées.

Laura revient alors avec sa poupée dans les bras et aimerait se joindre à nouveau à ses amis.

Que va-t-il se passer ?

Les autres vont-ils accepter de jouer malgré tout avec Laura ? Celle-ci consentira-t-elle à leur prêter sa nouvelle poupée ? Ou Laura la gardera-t-elle jalousement dans ses bras et pourra-t-elle malgré tout participer au jeu ?

Les enfants imagineront des suites à cette histoire et les joueront.

ENNEMIS ET AMIS

Daniel et Tom ne se supportent pas. Daniel est plus grand et plus fort que Tom et le lui fait sans cesse sentir. C'est la raison pour laquelle Tom évite Daniel. Un jour, alors que Daniel fait quelques exercices de gymnastique aux espaliers, Tom s'approche de lui pour en faire autant. Daniel le repousse avec ses jambes, mais il tombe, se cogne le genou et se met à pleurer. Surpris, Tom se tient près de lui. Comment va-t-il réagir ?

Va-t-il se moquer de Daniel qui pleurniche ? Va-t-il lui dire : "C'est bien fait pour toi ! Tu n'avais qu'à pas me pousser !" Ou va-t-il consoler Daniel ? Que va-t-il se passer ?

Pour les enfants plus âgés

DIFFÉRENTS !

Les Moulin habitent avec leur fille Ève dans un immeuble. Dans l'appartement voisin, vivent les Toukou avec leur fils Jo. Ève ne peut pas jouer avec Jo, cela lui est même strictement interdit. "Ils sont étrangers !" dit son père et sa mère ajoute : "Ils sont très différents de nous !" Ève le sait parfaitement mais elle ne considère nullement cette différence comme un obstacle. Au contraire, elle connaît très bien Jo et aime beaucoup s'amuser avec lui, car il lui apprend des tas de jeux qu'elle ne connaît pas. Ils se rencontrent d'ailleurs en secret dans la cave.

Mais un jour, ils sont découverts par le concierge. "Il est interdit de jouer dans la cave", crie-t-il en

colère avant de chasser les deux enfants dans la rue. "Je le dirai à vos parents !" crie-t-il en les suivant. Que faire ? Maintenant, tout va être découvert et Ève et Jo ne pourront peut-être plus jamais jouer ensemble.

Mais n'existe-t-il pas une autre solution, bien meilleure ?

Le marchand de sable

IDÉES POUR COSTUMES ET DÉCORS

- **Les costumes** : ils seront facilement élaborés. Les enfants portent des pyjamas. Le père et la mère peuvent avoir l'un ou l'autre signe distinctif un peu stéréotypé : une cravate pour le père, des hauts talons pour la mère. Ils tiennent tous les deux un journal en main et ont des lunettes sur le nez.

- **Les décors d'appartement** : Empilez de nombreux cageots à fruits ou cartons à bouteilles de vin et constituez ainsi une espèce de mur ou de coin de pièce ; drapez un grand morceau de tissu en forme de rideau, accrochez un dessin que vous aurez peint… et le tour est joué !

PERSONNAGES : La mère, le père, Mimi, Flo

LA MÈRE : *(lit son journal, lunettes sur le nez)* :
Robert !

LE PÈRE *(lit son journal, lunettes sur le nez)* :
Hmb !

LA MÈRE *(regarde au-dessus de son journal)* :
Robert !

LE PÈRE *(regarde au-dessus de son journal)* :
Que se passe-t-il, Jacqueline ?

LA MÈRE :
Robert, il est temps, veux-tu mettre les enfants au lit ? !

LE PÈRE *(grommelant)* :
Hmb ! *(plus haut)* **Les enfant ! Il est temps ! Au lit !**

MIMI :
Non !

FLO :
C'est malheureusement impossible !

LE PÈRE :
Que signifie : "C'est malheureusement impossible" ? Allez vous coucher tout de suite !

MIMI :
Justement ! C'est malheureusement impossible !

FLO :
Malheureusement ! Malheureusement !

LE PÈRE ET LA MÈRE *(en même temps, laissent tomber leur journal)* :
Quoooi ? !

LA MÈRE :

   C'est impossible ? Et pourquoi donc ?

FLO :

   Eh bien, parce que le marchand de sable est passé.

LE PÈRE :

   S'il est passé vous devriez déjà dormir. Au lit, et que ça saute !

MIMI :

   Mais papa, justement le marchand de sable nous a dit qu'il était fatigué.

LA MÈRE :

   Nous aussi nous sommes fatigués de vos histoires à dormir debout.

FLO :

   Mais non, il dort couché.

LE PÈRE :

   Qui ça, "il" ?

FLO :

   Mais le marchand de sable, Papa.

LE PÈRE :

   Oui, il dort dans mon lit.

FLO :

   Et il a déposé ses sacs de sable dans le mien.

LA MÈRE :

   Je vais le chercher tout de suite.

MIMI :

   Non, je suis vraiment désolée ! On ne peut le déranger. Il a dit que chacun avait droit à se reposer.

LE PÈRE :

   Et vous ?

MIMI :

   Nous pouvons rester éveillés encore une heure. Juste une heure. Après le marchand de sable sera parti.

LA MÈRE :

   Qui a dit ça ?

FLO :

   Mais lui !

LA MÈRE *(entrant dans le jeu)* :

   Je vais téléphoner à son bureau pour prévenir son patron qu'il aura une heure de retard.

LA MÈRE *(revient)* :

   Son patron m'a dit que demain soir il passerait donc une heure plus tôt pour s'excuser.

LE PÈRE *(opine en riant).*

LES ENFANTS *(s'en vont tout penauds en disant)* :

   Tout compte fait, nous allons aller le réveiller, ainsi il ne se fera pas attraper. Au revoir, Maman, au revoir, Papa.

S'AMUSER SANS CHUINTER OU ZOZOTER

*Les chaussettes de l'archiduchesse
sont-elles sèches, archisèches ?*

La plupart du temps, ces petits jeux de diction se terminent dans un grand éclat de rire, mais ils constituent un excellent exercice pour les lèvres et la langue et permettent d'apprendre à parler distinctement et à haute voix. Pour certains enfants, il est même indispensable de pratiquer d'abord cette discipline assez longuement avant de pouvoir monter sur scène.

Pour corser la chose, les phrases peuvent être successivement dites :

- en bâillant ;
- en mettant la bouche de travers ;
- avec quelque chose dans la bouche.

Il n'est pas nécessaire d'expliquer ces exercices de diction en détail aux enfants ; il vaut mieux qu'ils regardent et écoutent attentivement l'animateur… si celui-ci se débrouille bien ! Ils tenteront ensuite de l'imiter.

Juste avant la représentation théâtrale, les exercices de diction constituent une excellente préparation. En effet, à l'instar du champion de course à pied qui doit s'échauffer et assouplir les muscles de ses jambes avant le départ afin de pouvoir donner toute sa puissance pendant la course, l'acteur doit faire travailler ses muscles phonatoires, pour pouvoir ensuite parler clairement, distinctement et à haute voix.

*Didon dîna dit-on de dix dos dodus
de dix dodus dindons.*

*Mirlabi surlabobo
Mirliton ribon ribette
Surlababi mirlababo
Mirliton ribon ribo*

V. Hugo

ÇA SIFFLE SANS CHUINTER

Au départ, prononcez ces vers très lentement, distinctement en exagérant les mouvements des lèvres.

*Un chasseur sachant chasser sans
son chien est un bon chasseur.*

*Six cent six singes sages singent six cent six
chauves chics.*

*Soixante-six Sioux sans sou sifflent sans cesse
six cent six chiens sans souci.*

*Si six cent soixante-six choux sont sis sous six
cent soixante-six chiffons, six cent soixante-six
chiffons sont sis sur six cent soixante-six choux.*

*Si six cent six chats sourds chuintent
sans cesse, six cent six souris chauves
se trissent sans souci.*

*Six slaves sages sans chaussettes s'assurent chez
six Siciliens chanceux.*

Au début, il faut bien sûr parler très lentement pour y parvenir. Mais avec un peu d'entraînement,

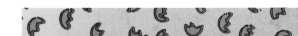

il sera possible de les dire de mieux en mieux et de plus en plus vite et l'effet sera très comique.

Ne vous étonnez pas si les enfants inventent eux-mêmes de nouvelles phrases.

ÇA GRATTE SANS CRAQUER

Dans ce cas, il s'agit de prononcer principalement des gutturales et des dentales.

Trois gros grillons gris grimpent gravement une grande grille.

Quatre gros grincheux grignotent gravement quatre gros grains grappillés sur une grosse grappe.

Trois tricheurs troquent trente-trois trucs troués contre trente-trois trotteurs dans un tripot de truands traqués.

OYEZ-VOUS CE QUE J'OIS ?

*Il était une fois
Une marchande de foie
Qui vendait du foie
Dans la ville de Foix
Elle se dit : ma foi
C'est la dernière fois
Que je vends du foie
Dans la ville de Foix.*

DES LANGUES MYSTÉRIEUSES

*Buvons un coup ma serpette est perdue
Mais le manche, mais le manche
Buvons un coup ma serpette est perdue
Mais le manche est revenu.*

Changez les voyelles et diphtongues :

Bava za ka ma sarpat a parda…

Et pourquoi pas en "E" :

Beve ze ke me serpet e perde…

Poursuivez avec les autres voyelles, puis avec les diphtongues "an", "in", etc.

Cette chanson très connue constitue un excellent exercice de diction, à partir duquel les enfants pourront également inventer une langue secrète. La "Langue O", par exemple, donne ceci : *"Bojor, Modom Dopot, commot ollo-vo ojord'ho ?"* Qui signifie : *"Bonjour, Madame Dupont, comment allez-vous aujourd'hui ?"* Cette brave dame pourrait quant à elle répondre en "Langue U" : *"Ju vu tru bu, murçu bucu !"* Et quels secrets nos deux amis pourront-ils ainsi échanger ? Ce jeu peut donner lieu à un long divertissement.

MOI, J'ADORE LES SPAGHETTIS !

Il est très amusant de dire une phrase toute simple sur différents tons : en pleurant ou en ricanant, en grommelant, sévèrement, avec insolence, inquiétude, voire indifférence.

Les plus jeunes acteurs comprendront mieux les règles de ce jeu si vous les énoncez par exemple de la manière suivante : "Parlez comme un immense géant, comme un nain apeuré, comme un lutin effronté…"

Pour les enfants plus âgés

A QUI AI-JE L'HONNEUR ?

Prenez un téléphone en plastique. Il sonne (utilisez une minuterie à cet effet). Un enfant se dirige vers l'appareil, décroche et commence à parler. Les spectateurs doivent deviner qui est le correspondant et quel est le sujet de la conversation. Naturellement, l'acteur ne doit pas indiquer trop clairement de quoi il s'agit. Le public peut uniquement donner la réponse lorsque la conversation est terminée. Les acteurs choisissent eux-mêmes le sujet ou reçoivent un petit morceau de papier comportant, par exemple, l'une des indications suivantes :

- Vous apprenez une bonne nouvelle.
- Vous apprenez une mauvaise nouvelle.
- Votre tante veut vous faire une surprise.
- Il n'y a pas d'école aujourd'hui.
- Vous avez gagné un prix.
- Un OVNI a atterri.
- Le Père Noël arrive demain.

Pour les plus jeunes enfants

BAGUETTE À PARLER

La baguette à parler est un jouet fantastique. Il s'agit d'une petite tige de bois ou de bambou, peinte de couleurs multicolores et décorée de rubans, clochettes, boucles, perles et autres babioles.

Règle du jeu : l'enfant qui tient cet ustensile magique en main doit prononcer une phrase. Essayez donc ! L'effet est étonnant.

Pierre tient la baguette et commence : "Je vais au parc et…" Il passe le "témoin" à François qui complète la phrase : "… je prends mon ballon de football !" À chaque fois, le meneur de jeu prononce le début d'une phrase qu'un des enfants devra continuer.

IMPROVISATION

Les jeux proposés aux pages 28 et 29 permettent aux enfants d'acquérir une prononciation très nette. Passons maintenant au contenu et exerçons-nous à l'art de l'improvisation. Pour les bavards invétérés, cet exercice sera très simple mais il n'en ira pas de même pour les enfants qui n'aiment pas beaucoup parler en public et sont troublés quand les autres les regardent.

Les jeux suivants permettront de vaincre de telles inhibitions.

Pour les enfants plus âgés

LA CHAÎNE DES MOTS

Tous les joueurs s'asseyent en rond et la baguette à parler passe de main en main. Pascaline commence et dit : "As de pique". C'est maintenant le tour de Juliette : "Pique-assiette", puis de Sarah : "Assiette en carton". Et ainsi de suite, de joueur en joueur, la chaîne des mots devient de plus en plus longue. Attention, le passage du témoin doit progressivement s'accélérer !

Pour les enfants plus âgés

HISTOIRES EN CASCADE

Ce jeu nécessite une certaine attention, car la baguette à parler permet de faire évoluer, phrase par phrase, une histoire qui devient de plus en plus longue et, à n'en pas douter, de plus en plus passionnante. Pascaline commence et dit : "Lorsque je suis descendue pour la première fois à la cave, j'ai entendu un bruit bizarre. J'ai eu très peur et je suis restée immobile, comme pétrifiée. D'où pouvait donc provenir ce bruit ?" Elle transmet la baguette à Juliette qui poursuit l'histoire : "J'ai regardé autour de moi et ai découvert quelque chose de rouge derrière les caisses de vieux jouets." C'est à présent au tour de Sarah… ou à vous d'imaginer la suite !

Invitation

Chère Noémie,

Nous t' invitons à notre après-midi théâtrale !

Date : Samedi 15 juillet à 15 heures

Lieu : Salle du groupe, 2 rue du Moulin

Apporte un sac plein de déguisements et ta bonne humeur !

ORGANISER UNE FÊTE DU THÉÂTRE

Les murs de la pièce sont décorés de rideaux multicolores et de jolies guirlandes en papier crépon. Dans un coin a été installé un bar à limonade et à jus de fruits, sur lequel on a également disposé des petits paniers remplis de friandises. Dans un autre coin de la pièce se trouve la table de bricolage où sont déposés du papier d'emballage, des cartons, du papier de couleur, des ciseaux, de la colle et des feutres. Le vestiaire où les invités peuvent suspendre les vêtements de théâtre qu'ils ont apportés occupe un troisième coin. Quant au quatrième, on y a regroupé des morceaux de tissu, des rideaux, de la ficelle, de la corde et des pinces à linge pour la confection des décors.

QUE JOUER ?

Au programme, sketches, charades et autres jeux d'improvisation. Vous trouverez dans cet ouvrage (voir pages 20 et 21) des exemples de petites histoires ou de jeux de devinette, dont le déroulement pourra être imaginé par les enfants.

Une représentation ne doit pas durer plus de cinq minutes. Quant aux groupes, ils ne doivent pas compter plus de quatre à six acteurs. En effet, plus les groupes seront réduits, moins les enfants auront de difficultés pour s'accorder par exemple sur le thème de leur sketch. Attention : veillez à modifier la composition des groupes à chaque nouvelle manche.

Les enfants disposent d'environ 15 minutes pour trouver l'idée de leur scène, chercher les costumes adéquats et répéter une fois. Ils devront toutefois parler à voix basse, afin que les autres enfants dans la pièce ne puissent pas comprendre le sujet. L'idéal est naturellement de disposer de pièces séparées.

Mais attention, le jeu doit rester un jeu et les enfants doivent s'amuser ! Naturellement, le public doit écouter attentivement et ne pas faire de remarques désobligeantes. Par ailleurs, chaque représentation doit être chaleureusement applaudie. D'ailleurs pourquoi ne pas organiser un concours du public le plus fair-play ?

JEUX D'IMPROVISATION

Une improvisation est une petite pièce de théâtre présentée par les comédiens sans grande répétition préalable et avec peu de costumes, d'accessoires et de décors. Toutefois, le groupe doit au préalable déterminer les éléments suivants (voir également pages 20-21) :

- le début et la fin de la pièce ;
- la trame de l'action ;
- le lieu et la date de l'événement ;
- les personnes impliquées ;
- les spécificités des différents rôles.

TIRAGE AU SORT

Inscrivez divers thèmes de jeu sur des morceaux de papier, roulez-les et placez-les tous dans un chapeau. Chaque groupe tire au sort un petit rouleau et, après une brève discussion, le grand spectacle peut commencer.

Voici quelques exemples de thèmes :

- Incident lors de l'achat d'un vêtement (le vêtement se déchire).
- Trois commères médisent à propos de leur amie, mais celle-ci s'approche discrètement et entend toute la conversation.

- Le professeur Zimboum a inventé un robot savant
- Dans la salle d'attente du dentiste.

CHARADES

Les charades constituent un moment très apprécié des fêtes. Les spectateurs doivent deviner des mots comportant deux parties minimum, représentées par deux sketches courts ou davantage. Il suffit ensuite de rassembler les diverses solutions pour trouver l'énigme.

Il existe deux façons de jouer : soit la syllabe à deviner apparaît plusieurs fois dans le sketch, soit elle ne doit pas du tout être prononcée, mais uniquement être représentée très clairement.

Voici quelques exemples de charades : cha-peau ; dé-fil-é ; bon-homme-de-nei-ge ; asc-ens-eur.

Le jeu sera beaucoup plus amusant si les fautes d'orthographe sont admises, par exemple : chat-peau ou chat-pot ; défilé = dé-fil-haie ; bonhomme de neige = bonne-heaume-deux-nez-jeu ; ascen-seur = as-anse-heure.

2
CONTES ET LÉGENDES

Lorsqu'il s'agit de jouer une pièce de théâtre adaptée d'un conte, les jeunes enfants répondront tous : présent ! Naturellement, les filles préféreront jouer Blanche-Neige, parce qu'elle est princesse ; les garçons se glisseront plus volontiers dans la peau des nains malicieux. En revanche, le rôle de la belle-mère ne déchaînera pas l'enthousiasme, car c'est un personnage négatif. Et certains ne voudront pas non plus devenir le prince… car il doit embrasser Blanche-Neige !

Mais comment les enfants peuvent-ils interpréter ce conte s'il y a uniquement une seule princesse et dix nains ? L'animateur devra faire preuve de beaucoup d'imagination pour sortir de cette impasse. Il trouvera de multiples idées dans ce chapitre.

Avec des enfants plus âgés, la situation est différente. En effet, si vous leur proposez de mettre en scène un conte de fées, vous aurez toutes les chances de vous heurter à un refus, car les grands n'y trouvent plus de féerie. Il existe heureusement d'autres histoires fantastiques qui les enthousiasmeront. Le tout est que l'action suscite suffisamment d'intérêt.

À PROPOS DE HÄNSEL ET GRETEL

DE L'HISTOIRE À LA PIÈCE DE THÉÂTRE

Les petits connaissent pratiquement par cœur la légende de Hänsel et Gretel, mais ils l'écoutent à chaque fois avec autant de plaisir. Et lorsque la sorcière à la voix perçante crie : "Grignote, grignote, grignotons ! qui grignote ma maison ?", tous répondent ensemble : "Le vent, ce n'est que le vent. C'est le vent, ce céleste enfant."
Les enfants se glissent facilement dans la peau de ces petits héros, ébahis devant la délicieuse maison en pain d'épice et tremblant de peur devant la méchante sorcière.

LA PREMIÈRE SCÈNE

Quoi de plus naturel que de commencer par cette scène préférée ? Comment alors réaliser la maison de la sorcière ? Le moyen le plus simple consiste à faire basculer une table vers l'avant et à dessiner les fenêtres et les portes sur celle-ci. Vous pouvez également utiliser un morceau de carton : évidez la fenêtre et suspendez derrière celle-ci un morceau de tissu que vous fixerez en guise de rideau à l'aide d'une agrafeuse. Découpez la porte de manière à ce qu'elle puisse s'ouvrir. Sur du papier brun, les enfants peindront de grands gâteaux en pain d'épice, ils les découperont et les colleront sur la maison de la sorcière. On peut bien sûr accrocher quelques vraies sucreries au support.
Hänsel porte un vieux chapeau. Gretel attache un foulard sur sa tête. S'il fait suffisamment chaud, les deux enfants peuvent même marcher pieds nus. Tout est prêt, le spectacle peut à présent débuter. Le narrateur commence son récit et dès qu'il arrive

à la "scène préférée", Hänsel et Gretel se lèvent et entrent en scène. Ils s'approchent prudemment de la maison de la sorcière et font semblant de manger les gâteaux, mais ils s'enfuient dès qu'ils entendent la voix de la méchante sorcière…
Cette scène peut être rejouée plusieurs fois par différents acteurs. Après avoir plusieurs fois entendu le texte, certains souhaiteront le dire eux-mêmes. Le narrateur devra alors uniquement présenter le cadre de la scène.

SUITE DU JEU

Lors d'une séance suivante, les enfants approfondiront le conte. Ils se mettent d'accord sur une deuxième scène : Gretel pousse la sorcière dans le four et libère Hänsel. Si personne ne veut jouer la sorcière, il existe d'autres solutions :

- Gretel fait comme si elle poussait de toutes ses forces une sorcière invisible dans le four, peint sur du carton et placé entre deux chaises.
- Le visage de la sorcière est symbolisé par un personnage en ombre et apparaît dans la fenêtre.
- La scène du four n'est pas jouée, mais uniquement racontée, puis Gretel surgit de l'arrière de la maison de la sorcière et libère Hänsel.

Un autre jour, les enfants choisissent une troisième scène du conte et l'interprètent. Petit à petit, ils auront ainsi joué toutes les parties de l'histoire et pourront finalement mettre en scène le récit complet.

REPRÉSENTATION

Le rideau va bientôt se lever. Le narrateur commence : "Il était une fois…", tandis que les comédiens, en coulisse, attendent d'entrer en scène. Le narrateur continuera à lire ou à raconter toute l'histoire, cependant que les enfants joueront en parallèle. S'ils le désirent, ils peuvent prononcer eux-mêmes certaines parties du texte (ayant entendu plusieurs fois le texte, ils le feront naturellement) mais il ne saurait être question ici d'apprendre le tout par cœur. Quant au narrateur, il doit surtout veiller à restituer le conte de la manière la plus fidèle possible.

TOUS LES ENFANTS PARTICIPENT

Faites jouer l'histoire par tous les enfants jusqu'à la représentation finale, chacun d'entre eux aura ainsi l'occasion à un moment donné d'interpréter Hänsel ou Gretel.
Mais valorisez l'ensemble des rôles : Papa et maman, ainsi que les animaux de la forêt (masques animaliers : voir page 39 et chapitre "Pièces masquées"), interviennent, au même titre que de nombreux "enfants-arbres", comme nous l'expliquons aux deux pages suivantes.

DANS LA FORÊT ENCHANTÉE

Dans de nombreux contes, les forêts sont le théâtre d'événements les plus étranges : le Chaperon rouge y rencontre le loup, les Musiciens de Brême y trouvent la maison des voleurs et le brave petit Tailleur y vit son aventure ; Hänsel et Gretel y découvrent la maison de la sorcière.

Laissons-nous donc tenter par une petite "promenade" dans la forêt enchantée.

Cette forêt peut être simplement constituée de trois ou quatre arbres, ou au contraire d'un nombre important d'arbres et de buissons, grands ou petits, toujours en fonction de la taille du groupe d'enfants.

Les enfants plus âgés apprécieront peut-être de créer une forêt enchantée, en réalisant des arbres en bandes de feuilles collées ou des buissons en boules de papier.

ARBRES ET BUISSONS

Un enfant-arbre porte comme tronc des pantalons ou des collants marron ou encore une longue jupe brune, cousue dans de vieux rideaux. Pour la partie supérieure, un T-shirt vert ou un simple poncho conviennent parfaitement. Vous y fixerez quelques petites branches et sur un sapin, vous attacherez bien sûr de véritables pommes de pin. L'enfant-arbre tient en outre plusieurs branches dans ses mains ou en pose une plus grosse sur le sol devant lui. Le cas échéant, il peut porter une couronne de branchages constituée d'un ruban de carton aux bords reliés de manière à former un cercle et décorée ensuite de petites branches collées.

Des arbres peints par les enfants sur du carton et fixés à un bâton peuvent également être spectaculaires. En y ajoutant de véritables branchages et feuillages, l'effet est des plus jolis.

LES ANIMAUX DE LA FORÊT

Les enfants peuvent intégrer des animaux en tissu dans le spectacle. Il suffira alors de les placer entre les arbres et les buissons.

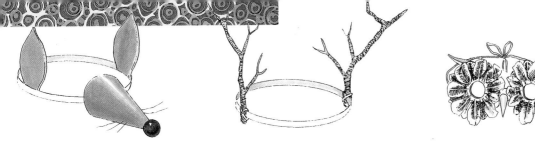

Mais la forêt enchantée sera plus joliment animée si les enfants se déguisent eux-mêmes en animaux des bois. Le petit lapin recevra un bandeau agrémenté d'oreilles, la souris ou le renard un museau et des oreilles, la chouette ou la corneille un masque à lunettes avec un bec d'oiseau (voir chapitre 4 "Pièces masquées"). De simples T-shirts et des collants unis feront office de costume.

PETITS SKETCHES PARALLÈLES POUR LES ANIMAUX DU BOIS

De petits sketches parallèles enrichissent l'imaginaire du théâtre des contes et donnent la possibilité aux jeunes enfants en particulier de prendre part aux pièces de théâtre, par exemple de la manière suivante :

Le petit Chaperon rouge se promène dans la forêt. Les animaux commencent par se dissimuler, puis, poussés par la curiosité, sortent de leur cachette et deviennent de plus en plus confiants, à tel point qu'ils décident de faire un bout de chemin avec la petite fille. Dès que le loup apparaît, ils disparaissent rapidement et se terrent, effrayés, derrière les arbres. De même, dans "Hänsel et Gretel", le renard et le corbeau s'efforcent d'enfermer les deux enfants dans la petite maison de la sorcière, tandis que les autres animaux cherchent à leur éviter cet emprisonnement.

MUSIQUE ET BRUITS

Lorsque Hänsel et Gretel sont dans la forêt, on entend une musique très mystérieuse, d'abord faiblement puis de plus en plus fort au fur et à mesure que les deux infortunés s'approchent de la maison de la sorcière. Lorsque le petit Chaperon rouge marche dans la forêt, des oiseaux gazouillent, un pivert frappe un tronc de son bec, la hulotte lance son appel, tandis que le ruisseau du bois murmure, incessant, sa longue histoire.

Comment faire ? C'est ici que le magnétophone entre en scène ! Quelques conseils à ce propos : un instrumental au rythme lent et à la mélodie douce donnera une impression de mystère ; les gazouillis d'oiseaux et le bruit du ruisseau peuvent être des enregistrements réels ; les bruiteurs peuvent également jouer sur des sifflets reproduisant le chant des oiseaux, tels qu'on peut les trouver dans des magasins de jouets, et laisser couler un robinet pour représenter le ruisseau.

POSSIBILITÉS DE MISE EN SCÈNE

Il existe diverses possibilités de mettre en scène des contes sous forme de pièces de théâtre. La variante la plus difficile et la plus exigeante consiste à "monter" l'intégralité de l'histoire, avec tous les costumes, décors et accessoires nécessaires. Dans ce cas, les enfants risquent

de perdre tout plaisir dans ce qu'ils préparent – et particulièrement les tout-petits, qui ne sont pas encore très patients quand il s'agit de répéter ou d'apprendre un texte par cœur. Or, c'est précisément ce groupe d'âge qui apprécie le plus d'interpréter les contes. C'est pourquoi nous vous présentons sur cette page des formes de mises en scène simples et faciles à mettre en œuvre pour les jeunes enfants.

LE NARRATEUR

Toutes les formes de pièce exposées ici requièrent la présence d'un narrateur, qui fait état des événements singuliers qui ponctuent l'histoire. Le fait qu'il raconte librement ou lise au contraire fidèlement le récit n'a aucune importance. L'essentiel réside plutôt dans l'art et la manière de restituer l'histoire. Le conteur doit parler lentement et distinctement et adapter sa voix aux différents personnages au moment des dialogues. La sorcière parlera par exemple d'une voix forte et perçante, alors que la princesse emploiera un ton aigu et doux à la fois (voir pages 28 et suivantes pour plus d'informations sur la parole et la voix).
L'effet sera plus spectaculaire si le narrateur porte un habit fantastique propre à stimuler l'imagination, s'il s'assied dans un grand siège merveilleusement décoré et s'il lit l'histoire dans un épais livre de contes, pourquoi pas recouvert d'un film de papier doré.

Vous pouvez braquer un projecteur sur lui tandis qu'il parle en laissant le reste de la scène dans l'obscurité, puis allumer les projecteurs orientés vers la scène uniquement lorsque la pièce commence. À la fin de la représentation, ces derniers s'éteindront progressivement et seul le narrateur se trouvera à nouveau sous les feux de la rampe. Pour ce jeu de lumières particulier, vous aurez besoin d'une personne qui se chargera exclusivement de la commande des projecteurs.

- Les sept nains sont plongés dans l'affliction.
- Le prince épouse Blanche-Neige.

Et tout ce qui se passe entre ces scènes est exposé par le narrateur.

Pour les plus jeunes enfants

AU DÉBUT ET À LA FIN

Les enfants jouent uniquement le début et la fin du conte, tandis que le narrateur se charge de raconter l'essentiel de l'histoire. Libre à vous de décider si les acteurs doivent dire leur texte ou non. Cette formule convient bien aux contes simples et courts, comme "Hänsel et Gretel", "Le petit Chaperon rouge" ou "Les musiciens de Brême".

DANS PLUSIEURS SCÈNES

Les enfants peuvent aussi interpréter les plus belles scènes, celles qui leur font le plus plaisir et qu'ils ne doivent pas répéter très longtemps. Le narrateur évolue alors dans l'histoire, en s'arrêtant aux endroits voulus pour laisser la parole aux acteurs. Après chaque scène, les enfants quittent les planches et le narrateur reprend son récit. Cette formule s'adapte bien aux histoires dans lesquelles l'action se déroule en plusieurs endroits. Vous pourriez par exemple mettre en scène les passages de "Blanche-Neige" suivants :

- La méchante belle-mère interroge le miroir.
- Blanche-Neige pénètre dans la petite maison des nains, puis ceux-ci arrivent.
- La méchante belle-mère propose gentiment à Blanche-Neige la pomme rouge.

Pour les enfants plus âgés

NARRATION À LA PREMIÈRE PERSONNE

C'est assurément la forme de jeu la plus inhabituelle et c'est la raison pour laquelle elle est plutôt destinée aux enfants plus grands. L'histoire est modifiée de telle sorte qu'un acteur principal reprend le rôle du narrateur et expose aux spectateurs ses propres rencontres et expériences.

"Cendrillon" peut par exemple raconter ses aventures : "Je me trouvais encore au bal et dansais avec le prince sans me soucier de l'heure qui tournait. Soudain, le premier des douze coups de minuit retentit…" Elle se lève et se dirige alors vers la scène où les autres comédiens l'attendent déjà. L'action du conte se poursuit alors en commun sous forme de pièce de théâtre. Cendrillon redescend ensuite dans le public pour expliquer la suite de l'histoire avant de remonter sur scène pour continuer à jouer son rôle.

Cette forme de jeu convient par exemple aux contes suivants : "Le petit tailleur", "La Belle au bois dormant", "Le chat botté", "Cendrillon" ou "Riquet à la houppe".

LA PETITE SORCIÈRE

Il était une fois une petite sorcière dont le vœu le plus cher est de fêter la nuit du sabbat avec ses aînées les grandes sorcières. Mais, du haut de ses 127 ans, elle est encore beaucoup trop jeune pour prétendre à cela. Cette année toutefois, elle parvient à se glisser en secret jusqu'à leur domaine dans la montagne, où elle chante et danse avec les autres. Mais elle finit par être dévoilée et traînée devant la grande sorcière. Celle-ci lui donne en fin de compte l'autorisation de se joindre à la fête l'année suivante, pour autant qu'elle devienne une véritable bonne sorcière. Commence alors pour elle une période très intense. Elle apprend chaque jour des passages de son grimoire, travaille d'arrache-pied et utilise toutes les occasions qui se présentent pour prouver qu'elle aussi est vraiment une bonne sorcière. Son ami, le corbeau Abraxas, la conseille dans ses efforts.

Les histoires de sorcières sont très appréciées des enfants, il existe de nombreuses variantes de cette " Petite sorcière apprentie ".

Voici un exemple de la manière dont un tel récit à lire peut devenir une pièce de théâtre pour enfants.

LE RÔLE PRINCIPAL

La petite sorcière peut être interprétée par une petite actrice douée mais le rôle peut être partagé par plusieurs enfants. Dans ce cas, une personne différente intervient pour chaque scène, le costume étant tout simplement transmis de l'une à l'autre. C'est la solution idéale lorsque plusieurs enfants se disputent le premier rôle.

LES AUTRES COMÉDIENS

Lorsque de nombreux enfants participent à la pièce, ils forment de petits groupes ne devant étudier chacun qu'une seule scène. Toutes Les scènes jouées successivement formeront ainsi la grande pièce de théâtre.

Si seuls quelques acteurs se sont manifestés pour jouer l'histoire, l'aventure n'en sera que plus excitante, car dans chaque scène les enfants devront alors endosser des rôles tout à fait différents.

LA SCÈNE

La petite sorcière vit son aventure en plusieurs endroits : devant la maison des sorcières, au marché, dans la forêt et dans la montagne. À cet effet, les enfants peuvent imaginer, s'ils disposent de beaucoup de place, une structure de scène intéressante, répartie sur plusieurs lieux : dans une pièce, ils joueront dans chaque coin ; dans le jardin ou au terrain de jeux, ils dresseront plusieurs "scènes naturelles", par exemple entre des buissons, sous un arbre, dans le coin du mur ou dans la petite maison en bois. Vous en apprendrez davantage à ce propos à la page 150, mais rien ne vous empêche bien sûr de jouer la pièce sur une scène traditionnelle.

PRÉPARATION DE LA PIÈCE

Vous pouvez bien sûr reprendre une version écrite de la petite sorcière mais il est aussi amusant de créer soi-même son histoire. On teste alors les différentes idées sur le plan du jeu des acteurs et chacun apprend son texte.

◆ Scène 1

Premiers essais "magiques" devant la maisonnette (le corbeau Abraxas sera représenté par une marionnette, manipulée par un comédien caché derrière un décor. La petite sorcière tente de faire tomber de la neige mais n'obtient qu'une pluie de confettis. Tout compte fait, elle est heureuse de pouvoir créer cette ambiance de fête.

◆ Scène 2

La petite sorcière participe secrètement au sabbat des sorcières dans la montagne et se fait surprendre (le feu est représenté par une grande lanterne réalisée en papier transparent et éclairée de l'intérieur par une lampe ; en plein air, vous pouvez bien sûr allumer un véritable feu de camp).

◆ Scène 3

La petite sorcière aide une marchande de fleurs et permet à ses fleurs en papier d'exhaler une senteur agréable (scènes du marché, voir pages 44-45). Une lampe brûle-parfum répand une odeur de fleur, de manière à ce que les spectateurs puissent bien le percevoir également.

◆ Scène 4

La petite sorcière aide une vieille dame à ramasser du bois (scènes de forêt, voir pages 38-39). Grâce à une formule magique, la vieille dame rajeunit de 50 ans.
Bois de joie, joie de roi
Sors de ton écorce et tu rajeuniras.
La vieille femme a bien sûr des habits superposés.

◆ Scène 6

La petite sorcière aide les enfants à réaliser leur bonhomme de neige et lui donne vie.
Bonhomme de neige,
Ne sois pas de glace,
Bonhomme de neige,
Avec nous, viens faire des farces.

◆ Scène 7

Lors d'une tempête (les spectateurs peuvent participer en tapant des pieds, des mains et en tambourinant), la sorcière passe son examen devant le Conseil des grandes. Elle fait comprendre à ses aînées qu'un peu de joie de vivre alliés à quelques formules magiques donnent de meilleurs effets que des sortilèges très compliqués.
Grimoires et laboratoires, au revoir !
Sorcière ne rime plus avec tonnerre
Au feu les grincheux.

◆ Scène 8

C'est la revanche de la petite sorcière : les balais de brindilles réalisés par vos soins ainsi que les grimoires de sorcellerie fabriqués en carton peuvent être brûlés dans un véritable feu de joie : une conclusion que les spectateurs ne seront pas près d'oublier !

UN MARCHÉ HAUT EN COULEUR

Il s'en passe des choses sur la scène : un marchand des quatre-saisons vante à gorge déployée ses pommes de terre et ses navets ; un garçon boulanger propose à tue-tête ses petits pains tout frais ; la crémière s'assied devant son panier et parle de ses œufs à grand renfort de gestes ; le vendeur de fruits montre à quel point ses pommes sont croquantes et juteuses, tandis qu'une petite fille évolue dans tout ce petit monde en proposant de jolis bouquets de fleurs multicolores. Mais le plus bruyant d'entre tous, c'est Jacquot Larnaque, qui vend bretelles, boutons et toutes sortes de babioles. Parmi les clients de ce marché, on trouve des ménagères pressées, des grandes dames en balade, ainsi que des fiers cuisiniers qui déplorent la piètre qualité des marchandises proposées ainsi que leurs prix trop élevés.

Dans un premier temps, les spectateurs ne savent pas où donner de la tête. Devant leurs yeux se déroule un spectacle haut en couleur, une grande agitation règne partout. Tous les gens du marché discutent entre eux, s'interpellent...

Comment parvient-on à créer cette scène de groupe des plus vivantes ? Même si cela semble très simple a priori, les acteurs ont dû répéter leurs scènes sérieusement, à partir notamment des jeux expliqués aux pages suivantes.

EXERCICES D'ÉLOCUTION

◆ Pêle-mêle

Les acteurs se regroupent par paires. Ils se répartissent dans la pièce, s'éloignent d'environ cinq pas l'un de l'autre, de façon à ce que les couples de comédiens se trouvent croisés. Puis le grand pêle-mêle commence. Chaque joueur d'une paire parle avec son "correspondant" à distance : les enfants se rendent rapidement compte qu'ils n'ont pas besoin de crier pour communiquer. Au contraire, si les comédiens parlent tous d'une voix mesurée, ils pourront se comprendre beaucoup plus facilement.

Pour les enfants plus âgés

◆ Le parlement

Il s'agit d'un exercice très amusant et, au bout d'un moment, plus d'un "parlementaire" sera incapable de prononcer encore un mot à force de rire. La règle du jeu est simple : à un signe donné, chacun commence à parler, en racontant indifféremment quelque chose d'important ou de futile. L'essentiel est en fait qu'il parle constamment, sans interruption. Il pourra uniquement arrêter son flot de paroles lorsqu'un nouveau signal retentira, par exemple un gong ou une clochette. Pour la deuxième session du parlement, les orateurs pourraient en outre adopter une manière de parler ou un registre particuliers (voir également pages 30 et suivantes).

◆ Exercices de comédie

Nous passons ici à l'intégration du mouvement dans la comédie, puisque chacun aura un rôle spécifique à jouer dans cette scène de marché animée : les uns crient le prix de leurs articles, qu'ils

soient drapier, mercier ou herboriste, tandis que les autres viennent pour acheter, comme la coquette, la vieille grand-mère, le cuisinier râleur ou le fier gentilhomme. Bien évidemment, le jeu sera encore plus intéressant si tous les intervenants revêtent des costumes fous et des chapeaux rigolos.

LA PIÈCE DE THÉÂTRE

Dans quel cadre de telles scènes de marché peuvent-elles donc se dérouler ? L'élégant souverain peut se promener sur le marché, pour faire admirer à son peuple sa jolie fille à marier. Dans « Ali Baba et les 40 voleurs », dans « Aladin », dans « Les habits neufs de l'empereur », etc, plusieurs scènes de marché peuvent être jouées.

Mais on peut également intégrer la lecture du discours de fin d'année scolaire dans une telle scène. Après un brouhaha amusant joué par tous les élèves d'une classe, un "orateur" fait taire le marché et lit son texte devant ses compagnons qui, par des expressions et des gestes amusants, miment, approuvent ou contestent ses paroles. C'est une manière très simple de mettre une bonne ambiance dans des séances qui, souvent un peu trop formelles, lassent quelque peu.

LUTTES ET DISPUTES

Pour les enfants plus âgés

Les marchés ne sont pas toujours des havres de paix, les paysans et marchands pouvant de temps à autre "se défouler" au cours d'une violente bagarre. Il est aussi des héros de contes qui doivent vaincre un dangereux ennemi au cours d'un combat acharné. Attention : ces scènes de combat ne sont pas pour les petits enfants ! Elles requièrent en effet une certaine adresse, puisque les méchants qui se boxent et se frappent ne portent pas leurs coups et font uniquement "claquer" ces derniers de manière très sonore.

Sachez que des trucs fantastiques permettent de ne pas toucher un cheveu de son adversaire et de ne pas lui faire mal, même si la rixe paraît rude. Tout cela implique toutefois un certain entraînement. Paul et Max nous servent d'exemple.

LA GIFLE QUI CLAQUE

Paul lève la main pour frapper, lance son bras énergiquement, mais arrête son mouvement juste avant de toucher la joue de Max. À ce moment précis, ce dernier entame alors un mouvement brusque de la tête sur le côté, comme s'il avait reçu une puissante gifle, et tape dans ses mains simultanément. Pour les spectateurs, ce claquement est perçu comme le bruit d'une gifle cinglante. Avec un peu d'entraînement, Max et Paul seront capables de s'administrer mutuellement des séries de coups tout à fait crédibles.

LE COUP DE POING QUI ASSOMME

Paul donne un coup de poing à Max, mais arrête son mouvement juste avant de toucher son adversaire. Simultanément, Paul se frappe la poitrine avec l'autre poing pour produire le bruit qui sera perçu par les spectateurs comme celui d'un coup de poing réel. Pour sa part, Max recule brusquement, comme s'il avait réellement reçu le direct à l'estomac asséné par Paul.

On peut également "agrémenter" les bagarres de sons impressionnants produits par le bruiteur sur des instruments à percussion, tels les timbales, tambours, cymbales, xylophone, etc.

TOMBER ET FAIRE LA CULBUTE

Pour apprendre à tomber par terre sans se faire mal, il est préférable de commencer l'entraîne-

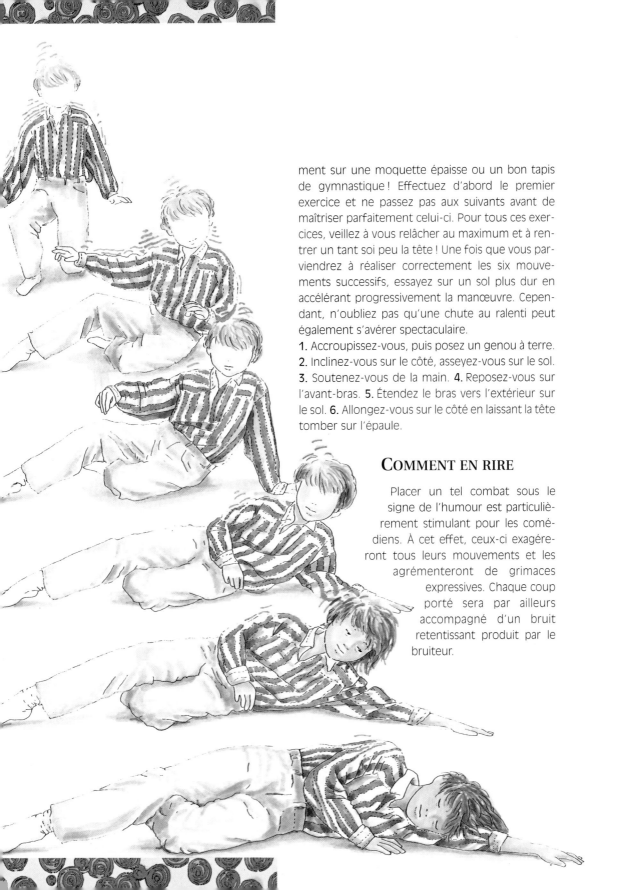

ment sur une moquette épaisse ou un bon tapis de gymnastique ! Effectuez d'abord le premier exercice et ne passez pas aux suivants avant de maîtriser parfaitement celui-ci. Pour tous ces exercices, veillez à vous relâcher au maximum et à rentrer un tant soi peu la tête ! Une fois que vous parviendrez à réaliser correctement les six mouvements successifs, essayez sur un sol plus dur en accélérant progressivement la manœuvre. Cependant, n'oubliez pas qu'une chute au ralenti peut également s'avérer spectaculaire.

1. Accroupissez-vous, puis posez un genou à terre.
2. Inclinez-vous sur le côté, asseyez-vous sur le sol.
3. Soutenez-vous de la main. 4. Reposez-vous sur l'avant-bras. 5. Étendez le bras vers l'extérieur sur le sol. 6. Allongez-vous sur le côté en laissant la tête tomber sur l'épaule.

COMMENT EN RIRE

Placer un tel combat sous le signe de l'humour est particulièrement stimulant pour les comédiens. À cet effet, ceux-ci exagéreront tous leurs mouvements et les agrémenteront de grimaces expressives. Chaque coup porté sera par ailleurs accompagné d'un bruit retentissant produit par le bruiteur.

À LA COUR DU ROI

Dans la salle du trône se réunissent messieurs distingués et dames très élégantes. Ces personnes se tiennent debout par petits groupes et ne lâchent que des rires étouffés, ou parcourent la pièce à pas gracieux en jetant des regards furtifs par-dessus leur éventail. Les messieurs avancent à pas mesurés, l'air hautain, admirent ou saluent les dames et discutent avec force gestes pour attirer l'attention sur eux. Et on entend toutes sortes de choses à la cour : celui-ci bégaie ; celui-là est dur d'oreille et doit toujours faire répéter la phrase qui vient d'être prononcée ; un troisième bâille à s'en déchirer la mâchoire ; le quatrième parle avec une lenteur exagérée ; tandis que le cinquième ne peut s'empêcher d'éternuer sans cesse très bruyamment…

Les discussions des dames sont tout aussi amusantes : la première parle d'une voix perçante et haut perchée ; la deuxième glousse sans retenue après chaque phrase ; la troisième inverse les syllabes des mots, les autres devant en permanence demander ce qu'elle veut dire ; la quatrième toussote dans son mouchoir régulièrement ; la cinquième s'exprime d'une voix forte et regarde sans cesse autour d'elle pour savoir si un gentilhomme va enfin s'intéresser à elle. Avec des personnages aussi typés, les conversations seront bien sûr très

animées et les spectateurs se délecteront de l'agitation de cette noble assemblée. Mais que se passe-t-il donc à la cour aujourd'hui ?

L'ENTRÉE DU ROI

Les lourdes portes s'ouvrent, le grand maître de la maison du roi pénètre solennellement dans la pièce, donne trois coups sur le sol avec sa canne et annonce l'entrée du souverain. Un "Aaaaaaah" retentit dans les rangs, gentilshommes et gentes dames s'écartent et s'inclinent devant Sa Majesté… et nous voici prêts à plonger au cœur de l'histoire. Il existe en effet de nombreux contes contenant des scènes de cour de ce type. Voici d'ailleurs comment l'action pourrait se poursuivre sur les planches :

◆ *La Belle au bois dormant*

Le roi entre dans la salle du trône, accompagné de la reine, rayonnante de bonheur avec son nouveau-né dans les bras. Les festivités du baptême commencent alors.

◆ *Cendrillon*

Le jeune prince héritier fait son entrée au bal. Son regard est rapidement et irrésistiblement attiré par la plus jolie des princesses ; il n'a plus qu'une seule idée en tête : danser avec elle.

◆ *La belle et la bête*

Le roi pénètre dans la salle du trône, vêtu de velours et de soie. Les deux prétendus tailleurs le suivent, s'inclinent devant lui et vantent leurs talents.

menée par le grand maître de ballet du roi.

Mais une simple ronde peut également suffire et permettra tout à fait d'obtenir l'effet escompté. Voici un exemple pour une musique à quatre temps. Il est alors indispensable de respecter scrupuleusement la composition de danse suivante : deux couples forment un cercle et se tiennent par les mains.

LA DANSE DE LA COUR

Une danse interprétée par toute la cour constitue un excellent divertissement au cours de la pièce de théâtre. Il convient de choisir pour ce faire une musique instrumentale classique au rythme lent, un menuet de préférence, que vous passerez sur un magnétophone à cassettes. Et qui seront les musiciens ?

◆ Les musiciens de la cour

Les acteurs peuvent très bien faire semblant de jouer eux-mêmes sur des instruments authentiques ou réalisés par leurs soins, mais vous pouvez aussi recourir à de grandes figurines de carton pour constituer l'orchestre. Vous les placerez alors au fond de la scène avant le début de la pièce ou demanderez à des accessoiristes de les amener sur les côtés de celle-ci avant le début de la scène de danse. Dans ce cas, il est plus amusant que les spectateurs ne puissent pas voir les personnes qui poussent ces "musiciens" sur la scène.
Confection des personnages : Les silhouettes sont d'abord dessinées sur du carton plat ou ondulé, puis peintes de couleurs variées ou décorées de morceaux de tissus et enfin renforcées au dos par des baguettes de bois collées.

DÉROULEMENT DE LA DANSE

Le plus simple est d'opter pour une polonaise, que tout le monde aura répétée. La danse est bien sûr

◆ Ronde :

– 1er temps = 4 pas vers la droite en rond dans le cercle
– 2e temps = 4 pas vers la gauche en rond dans le cercle
– 3e temps = 4 pas sur place
– 4e temps = 4 pas sur place + taper dans les mains

◆ Partie intermédiaire :

– 1er temps = les dames changent de place
– 2e temps = les messieurs changent de place
– 3e temps = les dames se tournent
– 4e temps = les messieurs se tournent

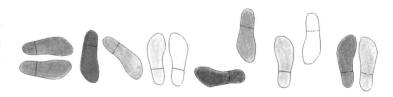

La ronde continue ensuite, puis revient une partie intermédiaire, puis de nouveau la ronde et ainsi de suite.
Les danseurs peuvent imaginer eux-mêmes d'autres types de pas et de mouvements pour les parties intermédiaires, par exemple rester debout et taper dans les mains, avancer et reculer, battre des pieds ou sautiller.

LA GRANDE FÊTE DES CONTES

La Belle au bois dormant s'est réveillée, et avec elle toute la cour. Tous sont heureux et le mariage est célébré en grande pompe. Les spectateurs sont également conviés à la fête. Un imposant buffet a été dressé et les musiciens jouent une mélodie agréable. Mais arrêtons-nous un instant, car avant de pouvoir célébrer les noces tous ensemble, un certain nombre de préparatifs doivent encore être accomplis. En voici la liste.

QUAND LE CONTE DEVIENT PIÈCE DE THÉÂTRE

D'abord, les enfants écoutent attentivement l'histoire de "La Belle au bois dormant". Il convient ensuite de réfléchir à la forme que prendra la pièce (voir pages 42-43) et aux différents passages à mettre en scène, par exemple de la manière que nous décrivons ici :

◆ *Scène 1*

La fête au château. Les douze bonnes fées sont invitées, la treizième apparaît et profère sa malédiction.

◆ *Scène 2*

Le quinzième anniversaire de la princesse. Dans une ancienne chambrette du château, elle découvre une vieille femme qui file la laine. Elle se pique le doigt avec l'aiguille et tombe dans un profond sommeil. Une haie d'épines se met à pousser.

◆ *Scène 3*

L'arrivée du prince. Il entend parler de la princesse endormie, se rend au château, la haie d'épines se rétrécit et le prince pénètre dans la vieille bâtisse.

◆ *Scène 4*

Le prince trouve la Belle au bois dormant et l'embrasse. La princesse se réveille, et avec elle toute la cour. Le mariage est célébré.

Conseil : De nombreux contes conviennent également à la réalisation d'une pièce de théâtre, permettant en outre la participation du public : "Le petit Chaperon rouge" ; "Le roi crapaud" ; "Cendrillon" ; "Blanche-Neige" ; "Le Chat botté", par exemple.

THÉÂTRE ET PUBLIC ACTIF

Si le conte est découpé en scènes spécifiques, il faut alors trouver la forme de pièce de théâtre adaptée et, par exemple, choisir celle dont nous vous entretenons ci-après.

Le narrateur

Le narrateur, qui a déjà revêtu son costume (voir page 40), emmène les spectateurs au travers du conte. L'action sur les planches commencera uniquement après qu'il aura parlé de l'invitation à la grande fête lancée par le roi. Il s'effacera alors et laissera la place aux comédiens. S'ils le désirent, les enfants peuvent alors dire leur texte librement (voir pages 30-31 pour les conseils d'entraînement à l'improvisation) et le conte mis en scène se poursuit ensuite.

SCÈNE 1

Sur scène

Toute la cour est invitée ainsi que les douze bonnes fées, puis le roi et la reine apparaissent, suivis de la nourrice qui porte l'enfant dans les bras.

Musique

Le responsable du son lance une musique baroque de fête (magnétophone à cassettes).

Sur scène

Les bonnes fées font leur entrée et expriment mille vœux de bonheur. Les invités écoutent, acquiescent, commentent l'événement, ils vantent et admirent la fête (voir également le Jeu de la cour, page 48).

Spectateurs

Le public entre en jeu à ce stade. Le maréchal du palais ou le fou du roi se déplace dans le public et demande à un spectateur médusé si lui aussi souhaite transmettre ses vœux de bonheur à la petite princesse, puis il le prend par la main et l'amène devant le couple royal.

Musique

Le bruiteur lance un grand roulement de tambour, terminé par un retentissant coup de cymbales, lorsque la treizième fée apparaît.

Sur scène

La treizième fée entre avec un air dédaigneux ; elle est vêtue de noir et son maquillage est obscur (voir à ce propos page 110). Absolument furieuse, elle profère sa malédiction d'une voix de tonnerre avant de disparaître. La douzième fée s'avance alors à nouveau et transforme le maléfice mortel en un sommeil de cent ans.
Fin de la scène 1, le narrateur remonte sur scène.

Musique et éclairage

La musique de fête retentit à nouveau, puis son volume diminue progressivement en même temps que l'intensité de l'éclairage de la scène. Un projecteur s'allume alors et n'éclaire plus que le narrateur.

SCÈNE 2

◆ Sur scène

Le narrateur explique l'enfance de la Belle au bois dormant, précise que son quinzième anniversaire approche et fait état des préparatifs fébriles pour la fête célébrant cet événement. Alors qu'il parle, toute la cour monte sur scène et commence à jouer son rôle. À ne pas oublier : le cuisinier et le marmiton. La Belle au bois dormant apparaît à son tour, regarde autour d'elle sur la scène et vers les spectateurs, avant de disparaître derrière la porte de la chambre de la tour. Là se trouve la vieille femme au fuseau…

L'histoire prend maintenant son rythme réel : la Belle au bois dormant se pique avec le fuseau, s'effondre sur un lit et sombre dans un profond sommeil (voir page 47 pour apprendre comment tomber sans se faire mal).

◆ Éclairage

Les feux de la rampe s'éteignent, seul un éclairage tamisé subsiste encore.

◆ Spectateurs

Le maréchal du palais ou le bouffon du roi entre et explique aux spectateurs qu'eux aussi sont touchés par le sortilège et qu'ils doivent rester dans leur position jusqu'à ce que les 100 ans se soient écoulés. Personne ne doit bouger, même lorsque le prince arrive.

◆ Musique

Une berceuse est diffusée à faible volume.

◆ Sur scène

Le narrateur explique la suite du conte. Il parle alors particulièrement lentement, d'une voix grave, comme s'il cherchait à endormir tout le monde.

SCÈNE 3

◆ Sur scène

Tandis que le narrateur s'exprime, une haie d'épines – de longues bandes de tissu ou des cordes auxquelles sont accrochées de nombreuses roses en papier crépon – pousse. La haie se développe jusqu'au-dessus de la scène mais aussi sur les spectateurs (des accessoiristes habillés de blanc, voire décorés de roses, tirent prudemment la "haie" par-dessus les comédiens et la tête des spectateurs).

Le prince apparaît, écoute attentivement le narrateur et décide après un temps de réflexion de venir à bout de la haie d'épines pour découvrir la jolie princesse. Il se met à marcher de-ci de-là, regarde également les spectateurs endormis et secoue la tête d'un air étonné. Il se rapproche de la haie de roses sur la scène, en écarte prudemment les branches et pénètre à l'intérieur du château. Il observe alors tout ce qui l'entoure, mais semble d'abord ne voir personne. Il ne renonce cependant pas à sa quête et découvre finalement la Belle au bois dormant dans la chambre.

SCÈNE 4

◆ *Sur scène*

Le prince embrasse la Belle au bois dormant, qui s'éveille alors.

◆ *Musique et éclairage*

Les projecteurs diffusent à nouveau une lumière intense, une joyeuse musique de fête démarre et à chaque fait dépeint par le narrateur, des bruits se font entendre, tels le pas d'un cheval, l'aboiement d'un chien ou la gifle que donne l'exécrable chef coq à son petit marmiton (voir page 46 pour apprendre comment donner une gifle qui claque).

◆ *Sur scène*

Le narrateur poursuit son récit, cependant que les comédiens jouent sur la scène.

◆ *Spectateurs*

Enfin, le maréchal du palais ou le bouffon du roi monte sur scène et invite les spectateurs à se joindre à la grande fête du mariage. Des serviteurs apportent mets et boissons de la cuisine royale. Et pour finir, une grande ronde se forme, dans laquelle acteurs et spectateurs dansent ensemble (voir page 49).

◆ *Scène et décors*

La meilleure solution consiste à dresser deux scènes, l'une représentant la salle des fêtes royale et l'autre, dans un autre coin de la pièce ou à côté de la scène principale, la chambrette de la tour avec une porte placée devant celle-ci.

◆ *Salle des fêtes*

Les murs sont recouverts de rideaux et richement décorés au moyen de guirlandes de papier, de larges bandes de papier crépon et de longs rubans de tulle. Vous pouvez aussi suspendre des longues bandes de toile blanche que vous aurez peintes au préalable. Les fenêtres de style gothique sont également du plus bel effet. Pour ce faire, découpez le châssis de la fenêtre dans du carton rigide ou du papier crépon, puis fixez par derrière un paysage peint sur du papier et agrafez le tout sur les rideaux.

La salle comprend des chaises garnies de bandes de tulle pour les dames, de petites tables sur lesquelles les messieurs déposent leur verre et, bien sûr, un trône décoré avec raffinement.

◆ *Chambre de la tour*

Les murs en papier d'emballage sont peints comme de vieilles murailles et percés d'une seule petite fenêtre, derrière laquelle on aperçoit le ciel bleu. Dans la chambre se trouvent un vieux tabouret, découpé dans une caisse en bois, un fuseau, confectionné sous une forme simplifiée à partir de morceaux de bois et un panier contenant du lin véritable. Le lit est un matelas pneumatique recouvert de paille, puis d'une pièce de tissu de couleur sombre, symbolisant une couverture. Un diffuseur ou un brûle-parfum permettront aux spectateurs de sentir qu'une odeur étrange se dégage de la chambrette.

NAINS ET GÉANTS

Il existe de nombreuses et passionnantes histoires de nains et de géants. Et peut-être les enfants auront-ils envie d'en adapter une sous forme de pièce de théâtre. Mais comment faire pour jouer le rôle d'un géant, qui est censé être plus grand que tous les autres comédiens ? De même, comment interpréter un nain, alors que les enfants présents ont pratiquement tous la même taille ? Il est nécessaire d'adopter pour ce faire les techniques du théâtre d'ombres (voir chapitre 5 "Théâtre d'ombres").

ÉNORME

Comment être aussi grand qu'un géant ? En fait, cela ne pose aucun problème, il suffit d'être deux. L'un des deux comédiens se tient debout sur une échelle, pendant que l'autre déplace avec ses bras et ses mains les jambes et les chaussures du géant. Le géant possède bien sûr une chemise "gigantesque", en l'occurrence un tablier long et ample, sous lequel les deux acteurs et l'échelle seront bien dissimulés. Par-dessus cette "chemise", il enfilera un manteau aux épaules rembourrées et aux longues manches retroussées à leur extrémité. Ainsi équipé, le géant dégagera une impression de puissance, d'ampleur et de force.

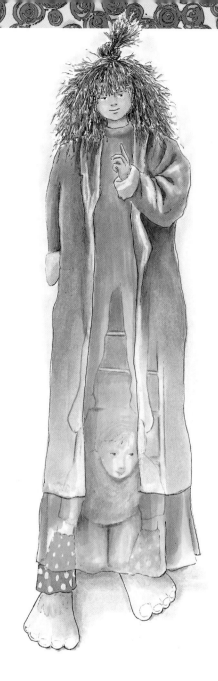

L'acteur-géant du dessus porte une perruque en laine ou en raphia qui lui donne une tignasse des plus hirsutes (voir pages 142-143). Il peut également se fabriquer une barbe postiche qui lui allongera le visage.

L'acteur du dessous se met à genoux sous l'échelle et regarde devant lui par de petits trous percés dans le tablier. Il enfile ses bras dans des jambes de pantalon rembourrées et ses mains dans d'énormes chaussures en carton.

Au secours ! un géant !

On entend tout d'abord un vacarme assourdissant, puis un rire tonitruant et des grondements impressionnants… et dans la lumière des projecteurs apparaît un énorme géant. Il déplace ses épaules d'avant en arrière, comme s'il s'apprêtait à faire encore quelques pas. Ses chaussures montent et descendent effectivement. Les pas sont accompagnés de coups de timbales sourds et puissants, produits par un musicien caché derrière la scène. Le géant parle lentement, d'une voix grave et mesurée. Ses mots résonnent comme des coups de tonnerre et il n'y a rien d'étonnant à cela, puisque le musicien accompagne chaque mot de petits coups frappés sur un gros tambour. Après chaque phrase, le géant marque une pause, au cours de laquelle retentissent un gong ou des cymbales.

Si tout cela ne suffit pas à intimider le spectateur…

Astuce : Un géant peut également être une marotte, dont un joueur manipule la tête et les mains au moyen de tiges de bois dissimulées – tout comme lui-même – sous le costume (voir page 62).

Tout petit

Représenter un nain créera certainement un effet comique. Le tour à jouer est très simple. Il suffit que le comédien s'agenouille sur le sol. Ses genoux sont rembourrés, par exemple avec du coton, et cachés dans des chaussures souples. Certes, le nain ne peut de cette manière réaliser de grands sauts, mais avec un peu d'entraînement, il parviendra sans encombre à avancer à petits pas. Il ne devra toutefois jamais se retourner, faute de quoi les spectateurs comprendraient le subterfuge.

Le nain porte un tablier recouvert d'un manteau descendant aussi bas que possible, de manière à ce que le bord de celui-ci recouvre les jambes et les chaussures réelles de l'acteur. Les manches seront retaillées de façon à ce que seuls les avant-bras apparaissent, la partie supérieure des bras restant dissimulée dans le drapé du vêtement ample. Quant au pantalon bouffant, il remontera jusqu'aux épaules. En fonction du rôle qu'il aura à tenir, le nain peut aussi décider de porter un bonnet de nuit ou un autre couvre-chef, voire une perruque en raphia, lin ou mousse séchée.

◆ Grincheux

Dans le conte "Blanche-Neige et les sept nains" figure un nain toujours de mauvaise humeur : Grincheux. Il marche courbé, la tête rentrée dans les épaules et jette toujours des regards méfiants autour de lui. Et quand il parle, c'est d'une voix qui casse les oreilles.

◆ Joyeux

Il marche gaiement en se dandinant, pouffe ou rit aux éclats et parle d'un ton chantant. Un musicien pourrait accompagner son entrée sur scène en jouant d'instruments à la sonorité claire, par exemple un jeu de cloches ou des mini-cymbales.

La marmelade des nains

IDÉES POUR LA REPRÉSENTATION :

Le géant ne pouvant pas marcher (voir page 54), il convient de préparer son entrée. Au début du jeu, il se dissimule donc derrière une paroi du décor, constituée d'une corde à linge à laquelle sont suspendus des serviettes ou des rideaux. Dès que le géant doit apparaître sur scène, ce rideau s'évanouit, grâce à deux personnes qui laissent tomber sur le sol la corde qui les retient. Et immédiatement, le géant surgit dans toute sa grandeur.

● **Et quelles pièces les nains peuvent-ils jouer ?** Les nains ne peuvent évidemment pas faire des culbutes ou le poirier, puisqu'ils se déplacent sur les genoux et toujours vers l'avant (voir page 55), mais rien ne les empêche de se livrer aux facéties les plus cocasses, par exemple taper dans les mains tout en chantant et en se déhanchant, réaliser des tours de magie, jongler avec divers objets ou faire des grimaces. Les nains n'éprouveront d'ailleurs aucune difficulté à imaginer eux-mêmes ces farces.

PERSONNAGES : trois nains, un géant

Trois nains rentrent chez eux. Le premier porte une marmite, le deuxième un petit panier rempli de baies mélangées et le dernier, des bûches pour le petit feu.

PROF :
Par la tempête, je suis encore étourdi,
Par chance, voilà déjà notre petit logis.

DORMEUR :
De nos oreilles, le vent arrache vite le bonnet,
Il serait facile de s'égarer dans la forêt…

PROF :
Nous, les nains, ne sommes sûrement pas des benêts,
Car de la tempête, nous pouvons nous abriter.
Mais ne sommes-nous que deux devant ce bel abri ?
Que nous étions trois, j'en aurais pris le pari !

Ils se comptent à présent les uns les autres, mais vu l'excitation régnante, chacun oublie de se compter lui-même et ne dénombre donc que les deux autres.

ATCHOUM :
Un et deux !

DORMEUR :
Et un et deux !

PROF :
Sommes-nous seulement deux ?! Cela ne peut être vrai ?!
L'un de nous trois doit forcément s'être égaré.

Il regarde autour de lui.

Parmi nous se trouve pourtant Atchoum le nain !

ATCHOUM (en respirant) :
Je suis heureux d'être à nouveau parmi les miens.

PROF :
Je vois aussi, là devant moi, le nain Dormeur.

DORMEUR (en respirant) :
Je suis là aussi, par le plus grand des bonheurs !

PROF :
Il me semble bel et bien que tous sont présents
Et que seul un nain connu manque dans les rangs
Et ce nain, ce ne peut être que moi, bon sang !
O malheur, ô désespoir, c'est vraiment terrible.
Au grand jamais, cela ne sera plus horrible !
Tempête m'a emmené, tel est mon sort pénible.

Il commence à hurler de peur.

de Bernd Kohlhepp

ATCHOUM :

> *O cher Prof, je t'en prie, cesse donc de tant pleurer !*
> *Car devant nous, se trouve un nain tout désigné.*

DORMEUR :

> *Et ce nain, c'est toi, Prof, notre chef tant aimé !*

PROF *(en respirant)* :

> *Je suis donc là et ne suis pas perdu ?*
> *Mes chers amis, vous m'en voyez tout détendu !*

ATCHOUM *(heureux, s'adressant à tous)* :

> *Prof, Atchoum et Dormeur*
> *Tous là, quel grand bonheur !*

Ils avancent de quelques pas.

DORMEUR :

> *Ce serait bien de ramasser toutes ces belles baies,*
> *Beaucoup sont tombées, évitons de gaspiller !*

ATCHOUM :

> *Avec tout cela, faisons une bonne marmelade,*
> *Pour le cœur et puis l'estomac, quelle rigolade !*

LES NAINS *(se frottent le ventre et disent)* :

> *"Aaah !" Ils avancent encore un peu et constatent que l'entrée de leur maisonnette est bloquée par un arbre abattu.*

ATCHOUM :

> *Mais, les petits amis, que s'est-il donc passé ?*
> *Pourquoi cet arbre énorme bloque-t-il notre entrée ?*

PROF :

> *Le gros arbre est tombé,*
> *Il est déraciné.*
> *Chez nous, plus moyen d'entrer, quelle calamité !*

Les nains tentent en vain de retirer l'arbre abattu.

DORMEUR :

> *Ensemble, collègues, joignons donc toutes nos forces,*
> *Éloignons cet arbre en tirant sur son écorce.*

PROF :

> *Un et deux, c'est l'horreur,*
> *Rien à faire, quel malheur.*

ATCHOUM :

> *L'arbre a plu à la tempête, c'est indéniable,*
> *Elle l'a couché devant chez nous, incroyable.*

DORMEUR :

> *Rien n'y fera, c'est sûr, malgré tous nos efforts,*
> *Pour revoir la serrure d'ici avant l'aurore.*

Les nains s'affairent à la préparation d'une marmelade. A l'aide d'une grande cuiller en bois, ils tournent, d'abord tous ensemble puis séparément, les fruits dans la marmite.

DORMEUR :

> *Et si nous commencions par nous réconforter,*
> *Avant de songer à dégager l'entrée ?*

PROF :

> *Vive la marmelade avec tous ces si bons fruits,*
> *Du sucre, de la cannelle et un bon appétit !*

ATCHOUM *(regarde avec angoisse autour de lui)* :

> *Et je mélange, et je mélange hardiment,*
> *Bientôt nous mangerons, ce sera excellent.*

PROF *(commence à se vanter)* :

> *Moi, j'vous l'dis, je n'ai peur de rien ni de personne.*
> *Si toutefois un intrus la vie nous empoisonne,*
> *J'en ferai vite mon affaire, ce sera sa fête,*

Et je le jetterai prestement aux oubliettes.

Le géant bouge légèrement.

GÉANT *(avec une grosse voix)* :
Mmmmm !

Les trois nains sont effrayés et s'écartent de la marmite en sautant.

ATCHOUM *(tremblant et apeuré)* :
Avez-vous entendu ce bruit tellement bizarre ?
Pour sûr, je ne pense pas que mon oreille s'égare.

DORMEUR :
Je jurerais que c'est un profond ronflement,
A moins que ce ne soit un féroce grognement.

PROF :
Pour ma part, j'attribuerai ce gros bourdonnement
A l'estomac qui crie famine intensément.

ATCHOUM :
Mais je vous demande bien quel est cet estomac,
Capable de produire des sons ma foi si bas ?

Tous se regardent le ventre et s'assoient à nouveau à une certaine distance les uns des autres. A peine sont-ils de nouveau dans cette position que cela recommence ! Le géant laisse échapper un grognement sourd et les nains sursautent de peur. Cette fois-ci cependant, ils s'accrochent les uns aux autres et restent très serrés.

PROF :
Ce ventre si fort gargouille,
Que vraiment j'en ai la trouille !

DORMEUR :
Ne pensez-vous pas qu'une terrible créature ou un monstre horrible se cache dans la nature ?

Ils se regardent terrorisés mais ne peuvent rien voir. Le géant apparaît.

GÉANT :
Mmmm.
J'ai fffff… fffff….

Les nains courbent l'échine et rentrent la tête.

PROF :
Un être qui siffffffle de la sorte, c'est clair,
Ne peut que nous vouloir du mal. A l'aide mes frères !

DORMEUR :
Son siffffflement pareil au grand vent de l'hiver
n'augure assurément rien de bon sur la terre.

ATCHOUM :
Je ne peux rien dire, que oui ou non je le veuille.
Ce que je sais, c'est que je tremble comme une feuille.

Le géant s'apprête à parler.

GÉANT :
J'ai fffffaim !

PROF :
Maintenant, on ne peut plus le nier, c'est certain,
Pour souper, le géant croquerait bien quelques nains.

DORMEUR :
Il faut absolument faire notre cinéma
Pour que le géant oublie son gros estomac.

PROF :
Nous devons danser, jongler, tournoyer, chanter,
Pour qu'il ne pense plus du tout à se rassasier.

ATCHOUM :
Hélas, je ne peux d'aucune façon vous aider,

Car rien ne peut vraiment m'empêcher de trembler.

Les nains commencent alors à montrer des tours d'adresse. Cette scène peut constituer une petite coupure divertissante.

GÉANT :
Braaaaa....

DORMEUR :
Brasier, brasier ! Il veut nous cuire sur le brasier !
Mes frères, vous voyez bien qu'il est très mal élevé.

GÉANT :
... vooo !

DORMEUR :
Il veut nous faire griller, comme de vulgaires saucisses !

PROF :
J'ose à peine penser quel sera notre supplice !

GÉANT :
Braaaaavooooooo

LES NAINS *(tous ensemble)* :
Comment ?

PROF :
Pourquoi dit-il bravo ?
Est-il gentil ou sot ?

Les nains commencent à chuchoter ensemble.

GÉANT *(se parle à lui-même)* :
Je dévore moutons, dindons, coqs et pintades,
Mais ce que je préfère, c'est bien la marmelade.
Alors, ces trois nains vont-ils m'entendre à la fin ?
Je goûterais bien leur marmelade, car j'ai si faim !

DORMEUR :
Mes frères, nous nous sommes effrayés inutilement,
Voilà donc ce qui a attiré le géant.

De nous manger tous les trois, il n'en a cure,
Ce qu'il lui faut, c'est bien sûr notre confiture !

PROF :
Me voilà rassuré, j'arrête là de trembler,
La marmelade il nous suffit de partager.

Les nains opinent tous du chef d'un air entendu, puis prennent leur petite cuiller en bois pour nourrir le géant d'une manière tout à fait particulière : ils visent sa bouche comme avec une catapulte.

GÉANT :
Meeeeerci ! Je serai ravi
de vous aider aujourd'hui.

PROF :
Pourrais-tu de cet arbre nous débarrasser ?
Pour des nains, cette tâche est bien trop compliquée.

DORMEUR :
Et si tu libères l'entrée de notre maison,
Chaque jour, de marmelade tu auras ta ration.

Les nains montrent l'arbre abattu au géant qui le déplace sans aucune peine.

GÉANT :
Aussitôt dit, aussitôt fait, mes chers amis,
Vous pouvez maintenant regagner votre nid !

PROF ET DORMEUR :
Tous les enfants le savent bien, un gentil géant
est bien plus fort que tous les nains, évidemment !

ATCHOUM :
Le géant est l'ami des nains
Et il ne leur veut que du bien !

LE VOYAGE EN ORIENT

Au pays des mille et une nuits vivent Ali Baba et les quarante voleurs, Sindbad le marin, ainsi qu'Aladin et sa lampe merveilleuse. Il s'agit d'un pays d'aventures et de merveilles.

Si les enfants souhaitent monter un conte de ce type, ils peuvent facilement recréer sur scène ce monde oriental, avec sa richesse de couleurs, sa musique étrange et ses senteurs mystérieuses. Voici quelques conseils pour réussir à coup sûr ce grand voyage.

LES DÉCORS

Au loin, on voit les luxueux palais d'Orient possédant de superbes toits circulaires, en forme de

dôme et revêtus d'une feuille d'or (des parapluies et parasols décorés feront l'affaire). Les murs sont tendus des étoffes les plus fines et les sols garnis de tapis sophistiqués.

Au bazar (le marché), tout est entassé, on entend de multiples conversations animées qui s'entremêlent et l'on marchande tous azimuts (voir pages 44-45).

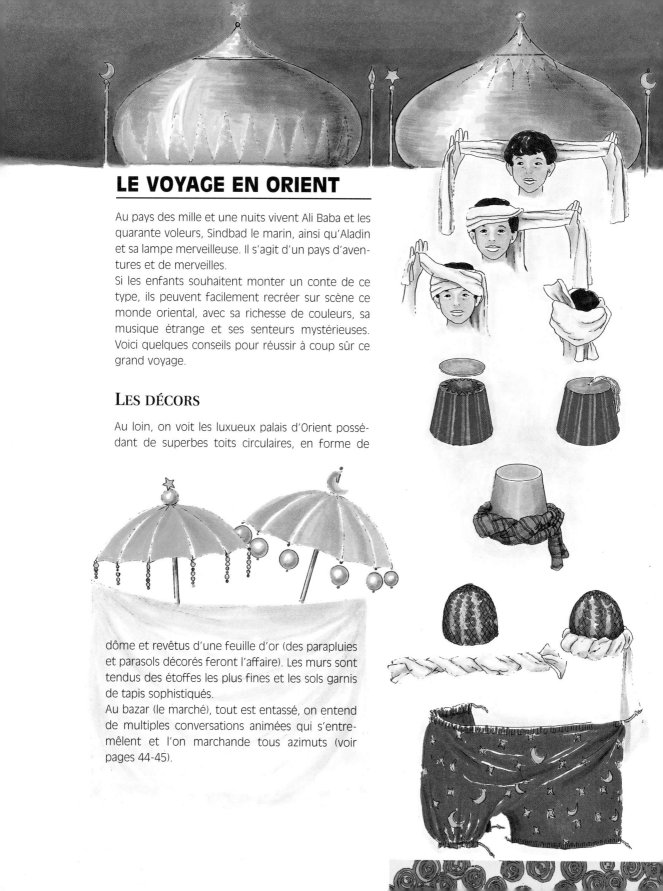

LES PERSONNAGES

Les hommes enfilent d'amples pantalons bouffants, portent un turban ou un fez et s'arment volontiers d'un sabre rutilant. Le sultan, le calife ou le vizir habillent leurs pieds de babouches soyeuses et garnies de broderies, tandis que les gens du peuple se contentent de pantoufles de feutre. Les femmes se drapent dans de longs habits aux couleurs magnifiques et se parent de bijoux scintillants. Certaines se cachent le visage de façon à ce que seuls les yeux restent visibles. Elles ont une démarche fière et élégante et semblent pouvoir porter sans effort des paniers ou des cruches d'eau sur la tête.

LA MUSIQUE

La musique orientale est souvent étrange et magnifique. Passez-en des morceaux (enregistrés sur cassette) à certains moments bien déterminés de la pièce, l'ambiance créée sera plus riche.

Pour que le bazar soit vraiment bruyant, les enfants peuvent utiliser l'astuce suivante : alors que toute la troupe joue la scène du bazar – tous marchandent avec force gestes et cris, s'interpellent et se parlent avec beaucoup d'excitation (voir pages 44-45) –, un magnétophone à cassettes enregistre ce brouhaha qui sera repassé en bruit de fond au même moment, lors de la représentation suivante.

UN PARFUM D'ORIENT

Au cours de la pièce, les enfants peuvent répandre les fantastiques senteurs épicées du Levant grâce à des lampes brûle-parfum. Veillez cependant à tester les parfums avant de les utiliser !

HISTOIRES DE FANTÔMES

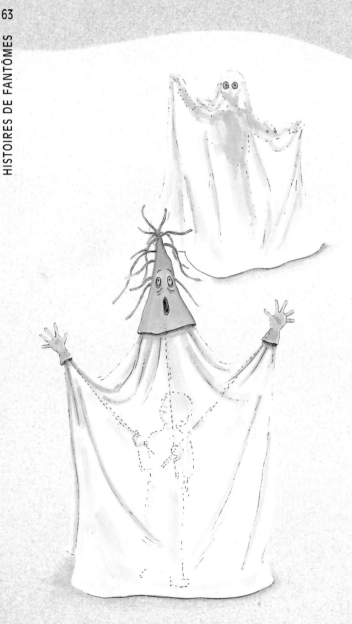

Pour les enfants plus âgés

Les histoires de fantômes, toutes plus fantastiques et plus macabres les unes que les autres, ne manquent pas dans le répertoire populaire. Elles conviennent particulièrement aux enfants plus âgés, qui écouteront les yeux grands ouverts les paroles du narrateur.

HISTOIRE À SUIVRE

Anna, Manu, Judith, Sophie, Charlotte, Julia et Michaël traversent la forêt à grandes enjambées, le regard rivé au sol. Ils participent à un jeu de piste et cherchent assidûment les petits indices en papier. Ils s'arrêtent soudainement et se retournent, surpris. Il n'y a plus aucun petit bout de papier à découvrir. Anna, la plus âgée, appelle tous ses copains : "Il faut décider ce que nous allons faire à présent !" Les enfants réfléchissent un moment (il serait préférable que les comédiens choisissent eux-mêmes les idées qu'ils échangent alors entre eux).

L'histoire se poursuit ainsi : Anna déclare alors que le mieux serait de poursuivre son chemin sur le sentier de la forêt, car "il doit forcément mener quelque part !" Les autres acquiescent et tous se remettent en route.

La petite troupe arrive à une fourche. "Et quelle direction devons-nous prendre maintenant ?" demande Manu. Les autres haussent les épaules, désemparés, mais Judith, fataliste, propose : "Et pourquoi pas tirer au sort ?" Une petite comptine mimée par tous désignera la route à suivre :

> *J'ai un pied qui remue*
> *Et l'autre qui ne va guère.*
> *J'ai un pied qui remue*
> *Et l'autre qui ne va plus.*

Bien sûr les acteurs n'iront pas du côté du pied défaillant.

Les enfants poursuivent leur chemin, mais une tempête éclate et ils doivent se réfugier dans une cabane.

Pour passer le temps, ils se mettent à jouer au petit bonhomme pendu sur un tableau. Les acteurs font participer le public à cet interlude. Pourquoi ne pas jouer avec le mot "Fantôme" ?

La pluie bat les carreaux de la fenêtre et le vent hurle autour de la maisonnette, mais un autre bruit se fait de plus en plus insistant.

Manu éclaire alors les coins de la pièce avec sa lampe de poche et découvre une porte. Celle-ci s'ouvre lentement et…

QUE VA-T-IL SE PASSER ?

Tout peut maintenant se produire et par exemple : un petit fantôme des forêts apparaît aux yeux des enfants, cherche à effrayer les hôtes de la cabane et imagine toutes sortes d'espiègleries. Les enfants sont-ils effrayés ou se montrent-ils courageux ? Ou l'un d'entre eux n'éprouve-t-il aucune crainte et s'avance-t-il vers le spectre ? Comment les enfants entreront-ils en contact avec celui-ci et comment lui parleront-ils ? Est-il exubérant ou timide, triste ou effronté ? Peut-être a-t-il lui-même peur des enfants ? Est-il accompagné d'un second revenant ?

Toutes ces questions doivent permettre de stimuler l'imagination des enfants, car eux seuls décideront de la suite de leur histoire de fantômes.

LE COSTUME DU FANTÔME

L'acteur qui joue le spectre peut tout simplement se passer un drap par-dessus la tête et pratiquer

deux trous pour les yeux. Il peut aussi se nouer un drap blanc autour du cou et recouvrir son visage d'une pièce de tissu fin, par exemple du tulle, qui lui laissera voir correctement son environnement.

Le fantôme-marotte est particulièrement impressionnant. Dans ce cas, le comédien se dissimule derrière un grand drap qui représente le personnage et manipule, à l'insu des spectateurs, des tiges au bout desquelles sont fixées la tête et les mains du revenant. Le dessin de la page ci-contre vous permettra de comprendre comment constituer et utiliser la marotte.

LES BRUITS PRODUITS PAR LE FANTÔME

Les bruiteurs intervenant dans la pièce de théâtre consacrée aux fantômes devront être suffisamment nombreux, car ils auront fort à faire. Les différentes illustrations de cette double page donnent quelques exemples d'accessoires susceptibles d'être employés.

3
PANTOMIME

Des pantomimes ? Nous en utilisons dans notre vie de tous les jours, sans scène de théâtre. En voici un petit exemple tiré du quotidien des enfants et qui leur fera comprendre le langage du corps. François vient chercher ses amis Simon, Adeline et Laurence, qui habitent au troisième étage d'un immeuble situé dans une rue très fréquentée. Il donne les trois coups de sonnette convenus pour se faire reconnaître. Les enfants se penchent alors à la fenêtre et crient quelque chose à l'attention du garçon qui ne comprend rien en raison du bruit des voitures et des pétarades des motos. François commence alors à faire des signes de la main et demande ainsi clairement aux autres de descendre rapidement. Hélas, Adeline doit encore travailler son violon, ce qu'elle fait comprendre aisément à François en mimant les gestes du musicien. Quant à Laurence, elle n'a pas fini ses devoirs et l'explique à son interlocuteur en faisant semblant de tenir un stylo dans la main et d'écrire sur un cahier. Simon, par contre, a le temps, il a envie de jouer au badminton. François est-il intéressé ? Tout cela s'explique très rapidement sans plus dire un mot.

Des exercices simples et les premières applications possibles de cet art particulier sont proposés dans ce chapitre.

GOÛTER, MANGER, DÉVORER

La pantomime est un art théâtral pour lequel les acteurs ne recourent ni au langage, ni à des accessoires. Les spectateurs doivent absolument tout comprendre, alors que les comédiens ne prononcent aucune parole, ni ne tiennent aucun objet réel dans la main. Seules l'expression du visage, la mimique et l'expression corporelle sont employées pour la représentation.

Grâce aux propositions suivantes, les enfants pourront s'essayer à cette forme d'expression. Un personnage a par exemple envie de croquer une pomme : il la cueille sur l'arbre, la frotte pour la faire luire, la tourne et la retourne en se réjouissant à l'idée de la manger. Il mord dans le fruit et presque aussitôt fait la grimace, car celui-ci n'est pas encore mûr et son goût est plutôt sûr.

Conseil : Dans les pantomimes, les mouvements sont exécutés très lentement et d'une façon très accentuée.

VIVE LE GOÛTER !

Tous les enfants s'asseyent en cercle autour d'un panier de fruits, apparemment vide. Mais en fait, il est rempli de fruits imaginaires : bananes, oranges, mandarines, pommes, poires, cerises, abricots, prunes, raisins, fraises, pêches, framboises, etc. L'animateur raconte tout ce qu'il voit et grâce à l'imagination des enfants, le panier se remplit de plus en plus. Qui pourrait ne pas en avoir l'eau à la bouche ?

L'animateur commence le jeu. En ne prononçant aucun mot, il tend la main vers le panier et choisit une banane. La manière dont il tient le fruit donne déjà des indications sur la taille de celui-ci. Il l'épluche ensuite en tenant le fruit dans une main et en procédant de l'autre main à l'opération. Les mouvements qu'il exécute per-

mettent aux autres participants de reconnaître clairement la banane. Il mord alors dans le fruit et chacun peut noter que la taille de celui-ci diminue après chaque bouchée. Applaudissements ! Mais arrêtons-nous un instant – que devient ensuite la peau de la banane ? Voici l'occasion de rappeler une règle essentielle de la pantomime : il ne faut jamais oublier que les objets que l'on a pris dans la main doivent toujours être redéposés quelque part et ne peuvent en aucun cas être abandonnés "en suspension" dans les airs.

C'est à présent le tour des autres enfants. L'un après l'autre, ils choisissent un fruit et le mangent avec application, tandis que les autres doivent deviner ce dont il s'agit.

◆ Cerises

Le joueur tient la cerise par la queue et l'introduit dans sa bouche. Mais que faire du noyau ? Vous pouvez par exemple le cracher de manière à ce qu'il suive une longue trajectoire courbe et… imaginaire.

◆ Raisins

Saisissez également le raisin par la queue de la grappe, puis détachez prudemment chaque grain et mangez-le.

◆ Oranges

Le comédien doit d'abord peler l'orange. À la main ou avec un couteau à dessert ? Où dépose-t-il les épluchures ? Le fruit projette un peu de jus à l'épluchage. Est-il sucré ou amer ?

◆ Pêches

La pêche est-elle grosse ou petite, tendre ou dure ? Attention lorsque vous mordez dans le fruit, car celui-ci peut être sur. Il est d'ailleurs préférable que l'acteur se munisse d'une serviette.

◆ Poires

La poire est-elle dure ou tendre ? L'acteur la frotte-t-il sur sa manche ? L'épluche-t-il d'abord ou la croque-t-il directement ? Coupe-t-il le fruit avec un couteau à dessert ?

◆ Mon plat préféré

Qu'il s'agisse du traditionnel bifteck frites, de spaghettis bolognaise, de petites saucisses avec de la moutarde, voire d'un quartier de tarte à la crème, d'une énorme coupe de glace ou d'un saladier plein de crème au chocolat, les spectateurs doivent deviner votre mets préféré. Voici comment commence le jeu : le mime apporte son plat favori sur un plateau (invisible), le dépose sur une table (bien réelle) et commence à manger. Quelle vaisselle et quels couverts le convive utilisera-t-il ? La pantomime doit permettre de le deviner.

QU'EST-CE QUE C'EST ?

Ces jeux de pantomime amusent énormément les enfants, tout en les poussant à aiguiser leur sens de l'observation, de l'imitation et à développer leur imagination.

IDENTIFICATION PROGRESSIVE

Tous les participants s'asseyent en cercle. Un volontaire commence le jeu et saisit sur le sol un objet bien entendu imaginaire. Il semble avoir ramassé quelque chose de léger, de fin, puisqu'il le maintient entre le pouce et l'index. Il observe cet objet mystérieux – et les autres joueurs aussi. Cependant, rien ne permet encore de dire si ce léger "quelque chose" est par exemple une aiguille, une plume, un bout de ficelle ou… une araignée ! Chaque enfant se fait sa propre idée sur la question. Le premier joueur "le" tend ensuite à son voisin, qui l'examine à son tour et doit, par ses mimiques et sa gestuelle, fournir des indications supplémentaires sur la nature de l'objet qu'il est censé tenir dans la main. Ce "quelque chose" passe ainsi de main en main, jusqu'à son retour au premier participant qui le dépose à nouveau sur le sol et chacun dévoile ce qu'il a pensé.

Au tour suivant, il pourra par exemple s'agir d'un objet plus grand, plus lourd, plus gros, plus long…

ROND OU CARRÉ ?

Les joueurs s'asseyent en rond et un cercle est dessiné à la craie sur le sol. De quoi peut-il s'agir ? D'une tasse, d'un chapeau, d'un miroir, d'une cloche, d'un gâteau, d'un disque ?

Un premier joueur se lève, s'approche du cercle et joue avec l'objet comme s'il s'agissait d'un ballon qu'il ramasse et jette en l'air, puis il le rattrape et le repose par terre. Pour le suivant, le cercle est un frisbee qu'il fait planer dans la pièce et rattrape avant de le replacer sur le sol.

Et le jeu continue ainsi avec tous les participants, chacun devant faire preuve d'imagination. avec un petit trait épais au centre.

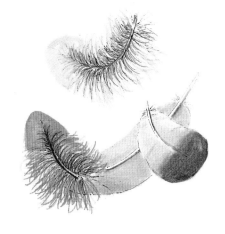

Vous pouvez aussi dessiner un carré. Qu'évoque ce dessin ?

LANCÉ

Deux partenaires s'envoient et se renvoient quelque chose.

L'objet le plus facile à reconnaître dans ce cas est évidemment le ballon. Mais comment mimer le jet d'un ballon gonflable, d'une plume, d'un paquet lourd, d'un coussin, d'une boule de neige, d'un chapeau, d'un morceau de savon, d'une flûte, d'une tête de nègre ? Cela dépend bien sûr de la nature de l'objet (par exemple sa taille et son poids) et de ce que les joueurs peuvent en faire, mis à part se le lancer.

Règle du jeu : Un couple de participants détermine l'objet de son choix, tandis que les autres doivent observer le jeu et tenter de deviner ce dont il s'agit, mais uniquement lorsque les mimes ont terminé leur numéro. Chaque séance sera à coup sûr saluée par des applaudissements nourris !

Pour les enfants plus âgés

PARTICIPATION

Voici une variante un peu plus difficile : le spectateur qui a compris la nature de l'objet que les deux mimes se lancent se lève et se met à jouer avec eux. Un amusant jeu de groupe peut alors se développer progressivement. Mais gare à celui qui s'asseyera sur une banane, mangera une clef ou se coiffera avec un stylo. Dans ce cas, les occasions de rire ne manquent pas !

TRANSPORT

Il faut porter une longue échelle, un seau rempli à ras bord, un gros fauteuil, une épaisse planche d'étagère, une petite table, un paquet pesant, un tableau précieux. Toutes ces idées sont inscrites sur de petits morceaux de papier distribués à chaque groupe de deux. Après une brève discussion, le jeu peut commencer. Le cas échéant, les deux mimes peuvent également laisser tomber l'objet invisible et regarder les débris sur le sol, pétrifiés d'effroi ! Ici aussi, les uns jouent pendant que les autres tentent de deviner.

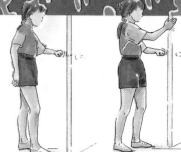

HISTOIRES DE PORTES

Pour les enfants plus âgés

Ces jeux ne sont pas faciles et requièrent concentration et maîtrise du corps. Les enfants plus âgés les adoreront, mais les plus jeunes risquent de s'ennuyer, car les exercices sont trop compliqués pour eux.

Ouvrir une porte

Les joueurs commencent par observer leurs propres mouvements lorsqu'ils ouvrent une porte réelle : la manière de placer sa main, de franchir puis de refermer la porte. Les enfants répètent ensuite la même opération mais cette fois sans porte : ils saisissent la poignée, l'abaissent et poussent la porte pour l'ouvrir, la main devant toujours rester à la même hauteur. Ils avancent alors de quelques pas pour franchir la porte fictive, relâchent la poignée, la reprennent de l'autre main – à la même hauteur – et referment la porte, c'est-à-dire qu'ils la ramènent en position de départ. Attention : à la fermeture, la main doit d'abord redescendre un peu avant de remonter à l'horizontale. La manière d'étendre les bras indique à quel point le mime ouvre la porte, tandis que le mouvement de la main donne des indications sur la façon dont la poignée est manipulée.

De porte en porte

Il existe de lourdes grilles d'acier, de légères portes de chambres, des doubles portes donnant accès à une grande salle ou des grilles rouillées qui sont très difficiles à ouvrir. Certaines portes peuvent se coincer, alors que d'autres s'ouvrent automatiquement. Et où conduisent-elles ? Quel chemin ou quelle pièce se trouve derrière et qu'y a-t-il à voir ou à faire ?

Les enfants peuvent ainsi imaginer de brèves histoires à mimer, par exemple entrer dans un magasin pour y faire ses achats ou pénétrer dans la salle d'attente du dentiste. Certains sont des touristes visitant un château, d'autres miment des cambrioleurs à la recherche de bijoux, l'un des comédiens tentant de forcer la porte, tandis que l'autre fait le guet, angoissé, tout en passant les outils à son complice.

Tout ce que les enfants imagineront se révélera passionnant pour tous – acteurs comme spectateurs.

Attendre devant la porte

Pour ce jeu de groupe, les enfants commencent par tracer un large trait à la craie sur le sol, symbolisant la porte, puis la pantomime commence : le premier acteur arrive et tente en vain d'ouvrir la porte, car celle-ci est verrouillée. Il décide d'attendre, un second mime s'approche alors. Celui-ci en est également réduit à l'attente. D'autres participants arrivent les uns après les autres et se retrouvent coincés devant cette porte qui reste close. Une fois tous les acteurs réunis devant elle, elle finit par s'ouvrir.

Cette petite scène peut être développée de diverses manières par les enfants, mais le groupe doit d'abord répondre à un certain nombre de questions fondamentales avant la représentation : de quel type de porte s'agit-il ? Où conduit-elle ? Quel est le but des personnes qui se réunissent devant elle ? Ces gens se connaissent-ils ou non ? S'attendent-ils les uns les autres ou se retrouvent-ils là par hasard ? Discutent-ils ensemble ou déambulent-ils silencieux ? Et que font-ils lorsque la porte s'ouvre enfin ?

Il pourrait par exemple s'agir de la porte d'entrée d'un magasin le premier jour des soldes. Les ménagères se pressent alors devant la porte encore close afin d'être les premières clientes à profiter des bonnes affaires. Ou pourquoi pas de la porte d'une classe que le professeur tarde à ouvrir : l'impatience règne, car une interrogation est prévue aujourd'hui et le temps passe. Ou encore de l'accès à un immeuble de bureau : les employés sont nerveux, car ils vont être en retard.

DANS LA PIÈCE

Un acteur se trouve dans une petite pièce. D'un côté la table, de l'autre l'armoire. Il repousse la chaise sous la table, s'approche de la fenêtre et regarde à l'extérieur. Tous les spectateurs constatent cependant qu'il n'existe ni table, ni chaise, ni armoire, ni fenêtre.

En fait, il s'agit d'une pantomime pour comédien confirmé ! Si les enfants montrent un grand intérêt pour cette haute expression artistique, ils trouveront ci-dessous de précieux renseignements pour assouvir leur passion.

TOUJOURS LE LONG DU MUR

Le mime commence par se placer devant un mur réel et par y poser les mains à plat. Il examine alors

continuer à observer précisément le chemin suivi par ses mains, ses bras et le reste de son corps.

Une fois acquis cette démarche particulière, l'enfant répète cette fois les mouvements dans le vide, sans l'aide du mur. Pour ce faire, il se place au milieu de la pièce comme s'il se trouvait face à un mur imaginaire. Il doit tenir ses mains comme si elles effleuraient le mur et mieux encore, comme si elles épousaient toutes les irrégularités de celui-ci. La distance initiale entre les mains doit être d'une cinquantaine de centimètres, puis le mime les rapproche doucement, toujours à la même hauteur. Il les écarte ensuite à nouveau légèrement sur le mur invisible.

Simultanément, il fait un pas de côté, puis il poursuit sa progression de la même manière : à tâtons et pas à pas, "toujours le long du mur".

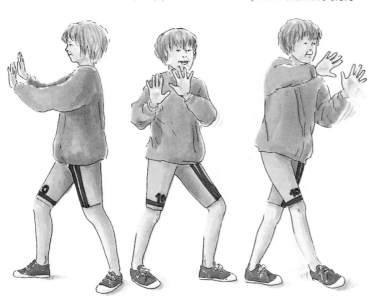

attentivement sa posture et s'attache particulièrement à l'inclinaison de ses bras et de ses mains. Il se déplace ensuite en suivant le mur des mains, exactement comme s'il était aveugle, sans oublier de

L'OBJET CACHÉ CONVOITÉ

De nombreux enfants peuvent participer à cette histoire à épisodes. Le jeu se déroule dans une pièce imaginaire, où, bien entendu, les meubles sont invisibles, mais "montrés" au public par le mime. À partir de ce moment, les enfants doivent veiller en permanence à contourner ce mobilier virtuel et à ne pas le "traverser". Le premier acteur pose une tablette de chocolat sur la table, puis quitte la pièce par une porte (voir également pages 70-71). Un deuxième mime, qui a tout observé par le trou de la serrure d'une autre porte, entre à son tour, s'approche de la table, saisit le chocolat (à l'endroit exact où il avait été posé), le déballe, en croque goulûment un morceau, puis referme la tablette et la dépose à un autre endroit, par exemple dans le buffet. Il doit s'efforcer de bien montrer l'endroit où se trouve ce meuble et de faire comprendre aux spectateurs si celui-ci est grand ou petit ou s'il comporte des tiroirs ou des portes. Le deuxième acteur sort ensuite de la pièce. Un troisième larron, qui, comme son prédécesseur, a tout vu par le trou de la serrure, s'introduit dans la pièce et va chercher le délicieux chocolat… et la pantomime peut ainsi continuer aussi longtemps que vous le désirez. À la fin, le premier acteur revient dans la pièce et se demande qui a bien pu manger son chocolat tout entier. S'il savait le voyage que cette satanée tablette a effectué entre-temps !

Exemple : enfermée dans une armoire, elle passe ensuite dans le tiroir de la table, puis se retrouve coincée entre des boîtes sur l'étagère, cachée sous le fauteuil, fourrée dans le sac à provisions, etc. Le jeu s'arrêtera uniquement lorsque tout le chocolat aura été dévoré par les mimes affamés et que seul le papier d'emballage subsistera sur la table. Le premier mime reviendra alors sur place en se demandant qui a bien pu manger son chocolat.

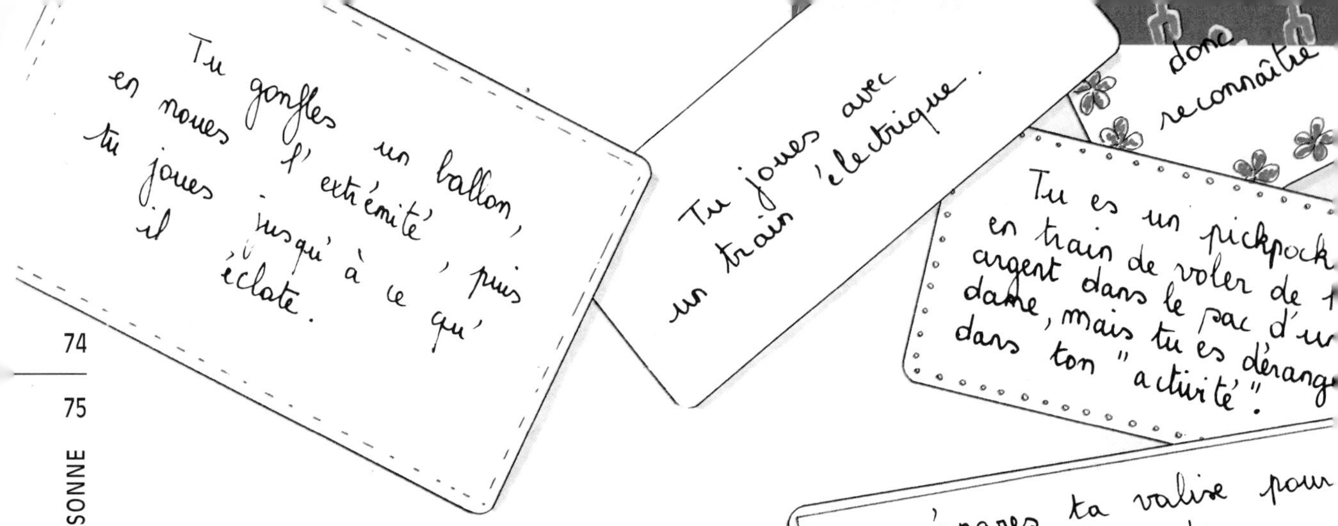

Tu gonfles un ballon, en noues l'extrémité, puis tu joues jusqu'à ce qu' il éclate.

Tu joues avec un train électrique.

done reconnaître

Tu es un pickpocket en train de voler de l' argent dans le sac d'u dame, mais tu es dérang dans ton "activité".

Tu prépares ta valise pour partir en vacances. Les spectateurs doivent pouvoir deviner le type de destinati que tu as choisie (exemple mer, montagne, campa grande ville).

CARTES À IDÉES

Règle du jeu : des cartes comportant des sujets de pantomime sont distribuées aux enfants. Chacun dispose de quelques minutes pour imaginer son propre jeu, puis la représentation peut commencer. Qui sera le premier volontaire ? Les spectateurs applaudiront bien sûr à tout rompre après chaque numéro ! Si les enfants ne savent pas encore lire, l'animateur peut leur chuchoter à l'oreille le contenu du message.

Vous trouverez d'autres idées de jeu aux pages 16, 17, 24 et 25.

Tu trouves un billet de 500 francs

Tu t'amuses à faire des bulles de savon.

Tu te pares de bijoux

Tu vas te promener sur une plage de sable. Tu trempes tes pieds dans l'eau, tu ramasses des coquillages et tu te fais pincer par un crabe.

Tu assistes à un concert. Tout le monde écoute en silence cette magnifique musique, mais tu as une irrépressible envie d'éternuer et tu essaies à tout prix de te retenir.

Tu laves ton chien.

Tu te promènes paisiblement. Il commence soudain à pleuvoir, mais heureusement, tu avais pris ton parapluie avec toi.

Tu quittes le restaurant et tu attrapes rapidement ton blouson suspendu au portemanteau, mais une fois dehors, tu te rends compte que ce n'est pas le tien.

LE PAQUET

On sonne à la porte. Le facteur apporte un paquet destiné à Simon, qui, tout excité, l'ouvre vite sur la table. Les spectateurs sont aussi impatients que lui de savoir ce qui se cache à l'intérieur. Et même si le public ne voit ni facteur, ni table et encore moins de paquet, il comprend très exactement aux gestes de l'acteur ce qui se déroule sur la scène.

Simon commence par montrer la table : il pose ses mains sur le plateau (invisible) de celle-ci, puis en détermine les contours. Les spectateurs connaissent ainsi sa hauteur et sa taille et sa situation. Soudain, Simon est surpris et écoute : on a sonné. Il se dirige alors vers la porte et reçoit son paquet. Il revient vers le centre de la pièce et, à la manière dont il tient ses mains, le public définit la taille et le poids du colis. Il se dirige doucement vers la table (il doit avoir repéré très exactement sa position) et y dépose l'objet (la hauteur de la table doit aussi être égale à celle montrée au début de la scène). Simon admire son paquet, le regard interrogatif, lit le nom de l'expéditeur, s'étonne puis se réjouit et finit par déballer le mystérieux envoi : il ôte la ficelle, utilise éventuellement à cet effet une paire de ciseaux qu'il aura prise dans le tiroir de la table, ouvre le papier d'emballage et en sort une boîte. Ses mains fournissent à nouveau des indications sur la taille et le poids de l'objet. Il le sent, y colle son oreille, sent sa forme avec les mains et se demande ce qu'il peut bien contenir. Il ouvre alors délicatement le couvercle et… se met à courir comme un fou, les mains sur les oreilles.

Ici se termine l'histoire. Sans prononcer un mot, l'acteur aura fait comprendre qu'il s'agit d'une bombe.

D'autres acteurs peuvent rejouer la saynète en en modifiant seulement la fin. Il s'agit d'une boîte à surprise, d'un réveil…

JOUE AVEC MOI

Pour les enfants plus âgés

Interpréter une pantomime à deux ou à trois n'est pas un exercice aisé. Personne ne soufflant mot, les acteurs doivent s'observer mutuellement avec une grande attention et réagir en fonction de leur (s) partenaire (s) au cours de la pièce. Avec un peu d'entraînement et d'expérience, c'est tout à fait possible.

MANNEQUIN

Un décorateur de magasin prépare un ou deux mannequins. Il les plie et les ploie d'avant en arrière, recule d'un pas pour admirer son œuvre, apporte une retouche de-ci de-là. Il leur enfonce un chapeau sur la tête et leur fourre plusieurs accessoires dans les mains. Une fois son travail terminé, il s'éloigne satisfait.

CHEZ LE COIFFEUR

Un monsieur distingué entre dans un salon de coiffure. Il est poliment salué, invité à s'asseoir sur une chaise (réelle cette fois) et servi aimablement. Il reçoit même une tasse de café.

Monsieur sera-t-il satisfait de sa nouvelle coupe de cheveux ? Que peut-il se passer d'autre dans le salon ? Quel est l'état d'esprit du client et de quelle humeur est le coiffeur ?

CHEZ LE CHAPELIER

Une dame arrive chez une modiste et la vendeuse l'accueille très cordialement. Celle-ci prend de nombreux chapeaux (imaginaires, bien sûr) sur les étagères et les propose à la cliente.

En voici un avec un bord large, un autre, petit et pointu garni de plumes virevoltantes, et que pensez-vous de ce modèle très tendance avec une voilette ? Plus les couvre-chefs sont bizarres et plus la pantomime sera drôle pour les spectateurs. La dame essaie tous les chapeaux et se regarde longuement dans la glace. Elle est très difficile. La vendeuse commence à trouver le temps long, elle s'efforce toutefois de rester aimable avec sa cliente… ce qui n'est pas toujours le cas, car les essayages durent très, très longtemps. La personne ne se décide en fin de compte pour aucun de ces superbes modèles. Une fois la cliente partie, l'employée laisse éclater sa colère.

Voici quelques scènes quotidiennes à mimer devant un miroir :

- observer sa tête le matin devant le lavabo ;
- se brosser les dents ;
- se maquiller et se coiffer ;
- faire des grimaces ;
- se faire beau/belle pour sortir ;
- essayer des vêtements.

CACHER SES SENTIMENTS

C'est un exercice périlleux pour les comédiens et un jeu très amusant pour les spectateurs. Les enfants n'auront de cesse d'imaginer eux-mêmes des situations de ce genre. Voici deux exemples dont vous pourriez vous inspirer :

- Madame Cloche et Madame Cruche pérorent et médisent à propos de Madame Lumière. Or, voici qu'arrive l'intéressée qui, ne se doutant de rien, salue les deux femmes très amicalement et demande de leurs nouvelles. Les deux hypocrites donnent alors l'impression que cette rencontre leur faisait plaisir au plus haut point et c'est seulement lorsque Madame Lumière poursuit son chemin que les critiques à son encontre fusent à nouveau.

JEU DU MIROIR

Le jeu du miroir est très apprécié dans les fêtes enfantines et suscite toujours des fous rires. Voici comment procéder : deux acteurs s'asseyent face à face. L'un interprète une personne devant son miroir, tandis que l'autre joue le rôle du "reflet" dans la glace et doit donc suivre fidèlement tous les mouvements de son vis-à-vis. Pour faciliter la tâche du "reflet", le "reflété" doit tout d'abord exécuter des mouvements extrêmement lents, de manière à ce que son "miroir" puisse reproduire exactement chaque mimique et chaque geste. Plus les mouvements des deux acteurs seront coordonnés et plus le numéro sera impressionnant.

- Martin Leminus a peur de Max Ledur, mais il ne veut pas le lui montrer. Si Leminus exprimait ce sentiment, Ledur risquerait en effet de se moquer de lui et tenterait de le provoquer. Les deux garçons se rencontrent et Martin essaie alors de cacher son appréhension.

Conseil : Le jeu du miroir peut donner lieu à d'intéressantes mises en scène dans des contes comme "Blanche-Neige" (le miroir sur le mur) ou "Cendrillon" (le miroir, devant lequel les méchantes sœurs admirent leurs robes du soir, etc.). N'oubliez pas que le "reflet" doit de préférence porter la même tenue que le "reflété".

LES CLOWNS ARRIVENT

Les numéros de clowns sont toujours attendus avec impatience ! Mais il ne s'agit pas de les improviser.

Avant une représentation comique, les clowns auront fort à faire : choisir leur rôle, chercher le costume le plus adapté, confectionner perruques, chapeaux ou faux nez. Ils devront aussi réfléchir aux différentes scènes à interpréter : pour cela, les enfants peuvent adapter les pantomimes apprises dans les pages précédentes.

Pour annoncer le numéro, ils feront retentir un roulement de tambour sur une boîte en fer-blanc, l'ambiance sera déjà donnée.

LES PERSONNAGES

◆ L'auguste

C'est le clown rigolo, comme l'appellent les enfants qui sortent du cirque. Sa veste et son pantalon sont beaucoup trop grands pour lui et quand il marche, il trébuche souvent sur ses chaussures géantes. Son rire bruyant est communicatif et au cours de ses pérégrinations, il fait sans cesse des bêtises. Les enfants adorent l'auguste, car il pense et ressent les choses comme eux ; il commet lui aussi des erreurs et fait des sottises.
Guignol est un personnage similaire.

◆ Le clown blanc

Il porte un costume luxueux et scintillant et sa démarche est très élégante. Son visage est maquillé de blanc. Attention : les jeunes enfants risquent d'en avoir peur ! Le clown blanc n'est pas aussi maladroit ou turbulent que l'auguste ; il est plutôt perdu dans ses rêves, sérieux et quelquefois triste. L'expression mélancolique de son visage confirme ce tempérament.
Le Pierrot à l'habit noir et blanc et l'Arlequin au costume de toutes les couleurs jouent un rôle semblable à celui du clown blanc.

TROUVER SON PROPRE RÔLE DE CLOWN

Lisa est une petite fille effrontée et rigolote – quel rôle de clown aimerait-elle jouer ? Daniel, en revanche, est plutôt réservé et calme – quel personnage lui conviendrait le mieux ?
Gare aux conclusions hâtives ! En effet, Lisa peut très bien préférer jouer le clown blanc calme et rêveur, tandis que le timide Daniel aura à cœur de devenir le bruyant auguste, pour se déchaîner, au grand étonnement de ses camarades.
Il est donc toujours préférable que chaque joueur choisisse lui-même son rôle.

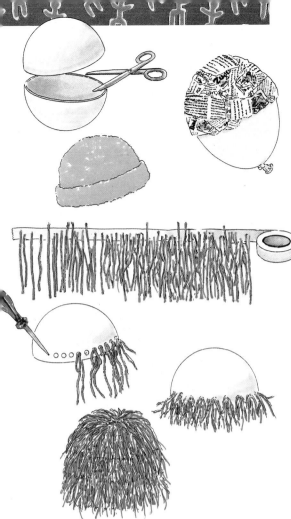

MON VISAGE DE CLOWN

Avec le visage soigneusement maquillé et affublé d'un faux nez très voyant, les enfants éprouveront moins de difficultés à se glisser dans la peau de leur personnage. La meilleure façon de commencer serait de leur demander de peindre plusieurs visages de clowns sur du papier et de choisir ensuite celui qui leur plaît davantage. Se maquiller suivant le modèle sera ensuite un véritable… jeu d'enfants !

Pour les plus jeunes, une énorme bouche rouge et rieuse, un petit point de même couleur sur le nez et de belles joues rondes et écarlates suffiront à créer un maquillage attachant et réussi.

◆ Nez de clowns

Les nez, peints en rouge, peuvent être réalisés à partir d'une petite balle en caoutchouc, d'une peti-te boîte en carton ou d'un carton à œufs. Les enfants tailleront la balle en caoutchouc ou la boîte en carton de manière à ce qu'elle s'adapte à leur nez et perceront un grand trou sur la partie inférieure pour respirer. Pour le carton à œufs, il suffit de découper toutes les parties saillantes, un seul carton suffisant alors pour beaucoup de nez ! Percez ensuite un petit trou de chaque côté et nouez-y un élastique qui évitera à l'accessoire de tomber pendant le numéro.

◆ Perruques de clowns

Pour réaliser un crâne chauve, le plus simple est de recourir à un bonnet de bain, mais vous pouvez aussi prendre un ballon gonflable sur lequel vous appliquerez une bonne couche de papier mâché. Une fois la future calvitie séchée, découpez-en régulièrement le bord. Posez ensuite d'épais brins de laine, que vous fixerez en les nouant après avoir percé des trous ou, plus simplement, avec du ruban adhésif double face. Un morceau d'élastique permettra enfin de fixer la perruque sous le menton.

L'ÉCOLE DES CLOWNS

COMMENT S'EXPRI-ME UN CLOWN ?

Le clown peut rire à gorge déployée ou pleurer à vous fendre le cœur, il peut se laisser aller à de violents accès de colère ou montrer sa tristesse par un grand accablement. Il exprime ses sentiments sans retenue, de la manière la plus claire et la plus exacerbée.

Mais comment y parvient-il ? Les enfants devront essayer d'exprimer par eux-mêmes ces états d'âme, de préférence devant le miroir. Voici quelques petits conseils pour réussir cet exercice :

- Pour rire, le clown ouvre largement la bouche et plisse les yeux.
- Lorsqu'il ricane, sa bouche s'agrandit et semble aller d'une oreille à l'autre, tandis que ses yeux roulent.
- Pour exprimer l'étonnement, il ouvre la bouche toute grande et écarquille les yeux.
- Quand il pleure, il ferme les yeux et se tord la bouche.
- Pour exprimer la tristesse, il laisse tomber les coins de sa bouche, la tête et les épaules.
- Et lorsqu'il est énervé, il cligne des yeux, son front s'étire vers le haut et il tend le cou vers l'avant.

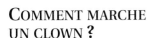

COMMENT MARCHE UN CLOWN ?

Il peut se dandiner comme un canard, la pointe des pieds complètement écartée vers l'extérieur ; s'avancer craintivement, pieds rentrés vers l'intérieur ; progresser en se tortillant le derrière ; marcher à tout petits pas ou, au contraire, avancer à pas de géant. Les enfants peuvent s'efforcer d'appliquer ces idées ou essayer toutes sortes d'autres démarches, afin de trouver celle qui leur convient le mieux. Plus les clowns seront différents, plus ils amuseront le public.

Lorsque chaque acteur s'est choisi un type de clown, sait comment se déplacer et quelles mimiques adopter en fonction de son personnage, la pantomime peut commencer. Voici un exemple à ce propos.

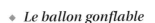

◆ *Le ballon gonflable*

Le clown se cache le visage derrière un ballon, regarde, apeuré, autour de lui, puis se dissimule à nouveau derrière l'objet qu'il tient en main. Ce faisant, il avance prudemment. Soudain, il fait un faux pas et le ballon tombe par terre. Le clown effrayé veut rattraper le ballon, mais à chaque fois qu'il se penche, il le pousse un peu plus loin avec ses grands pieds.

Le clown est fâché contre le ballon, car celui-ci ne se laisse pas attraper ; il le menace et le regarde de haut.

Il change ensuite de tactique et lui demande poliment de revenir vers lui, le flatte, lui envoie des baisers avec la main, mais rien n'y fait !

Le clown décide alors de sauter sur le ballon, mais celui-ci éclate (à cet effet, l'acteur tiendra une aiguille dissimulée dans sa main).

Comment réagit alors le clown ? Il peut pleurer, jeter un regard méchant, s'éloigner avec l'expression de la mauvaise conscience sur le visage, faire comme si ce ballon n'avait jamais eu la moindre importance pour lui, etc.

QUAND
LE TEMPS
S'ARRÊTE

Ces jeux de groupe sont
très appréciés. Ils permettent à chaque invité à la
fête de se mettre dans l'ambiance et ils conviennent aussi parfaitement à "l'échauffement" (voir
pages 14-15).

LA DANSE MAGIQUE

Passez une musique entraînante qui résonne dans
toute la pièce où se tient le groupe. Les enfants
dansent suivant leurs envies, comme s'ils se trou-
vaient dans une discothèque. Soudain, la musique
s'interrompt. Tous doivent alors rester sur place,
comme pétrifiés.
Dès que la musique reprend, une nouvelle danse
commence.

LE CERCLE MAGIQUE

Tous les enfants dansent en tous sens dans la
pièce. Lorsque la musique s'arrête, tous les participants s'immobilisent sur-le-champ et prennent la
main de leur voisin le plus proche. Une grande
chaîne entremêlée se forme alors. Les joueurs tentent ensuite de se démêler sans se lâcher la main !
En passant par-dessus ou par-dessous les uns les
autres, en tournant et en se contorsionnant, il est
tout à fait possible de venir à bout de cet
embrouillamini. Et à la grande surprise de tous, les
enfants formeront en fin de compte un grand
cercle, voire deux cercles de taille inférieure.

SCULPTURE

Simon est sculpteur. Il a pour mission d'exécuter
un ensemble de statues urbaines. Quelques autres

joueurs constitueront ses
"matériaux" de travail. L'artiste
devra les plier, les tourner, les
incliner et les courber jusqu'à
obtenir une magnifique œuvre d'art. Au cours de la créa-
tion, les "modèles" ne peuvent évidemment pas
bouger d'eux-mêmes – n'oubliez pas qu'une
sculpture est de toute façon immobile ! Une fois
son œuvre terminée, l'auteur la recouvre d'un
grand drap ou rideau et invite les spectateurs à une
joyeuse inauguration, au cours de laquelle la représentation de son génie artistique sera officielle-
ment dévoilée et chaleureusement applaudie par
le public ébahi.
C'est à présent au tour d'un autre invité d'être
engagé comme sculpteur. Il reçoit une commande
de statues pour le nouvel opéra. Il choisit lui-même
les "matériaux" qu'il va utiliser. Bien sûr, plus le
nombre de participants est élevé, plus le jeu est
intéressant.

AU MAGASIN DE JOUETS

Les innombrables ours en peluche et autres poupées mécaniques sont tous alignés en rang d'oi-
gnons. Ils attendent patiemment que quelqu'un
vienne les chercher, remonte leur clef et les laisse
tourner sur le sol.

Comment ces différents personnages se déplacent-ils ? Le mieux est que les enfants commencent par observer attentivement la manière dont ces objets agissent une fois remontés, tels le clown qui dodeline de la tête, la danseuse qui tourne sur elle-même, l'ours en peluche qui joue du tambour ou le petit canard qui avance en se dandinant. Les enfants apprendront très vite à reproduire ces mouvements saccadés et répétitifs. Il reste à trouver quelqu'un qui remonte tour à tour les "personnages vivants" et les laisse évoluer. Mais bien vite, le premier s'arrêtera, ressort détendu, et l'acteur aura fort à faire pour sans cesse remettre en marche les différents "jouets".

LA MACHINE INFERNALE

Tous les participants sont des éléments d'une grande machine. Ils se placent très près les uns des autres, de façon à toujours pouvoir passer à leur voisin le matériau que l'appareil est censé transformer. Le premier joueur tient un objet, le deuxième le fait avancer, le troisième le secoue, le quatrième le tire vers le haut, le cinquième le retourne, le sixième l'approche du sol, le septième le frappe, le huitième y visse quelque chose, le neuvième l'ouvre et le ferme, le dixième l'emballe, le onzième colle un autre objet sur le paquet, le douzième le place dans une caisse et le treizième et dernier empile les caisses. Tous les "éléments" accompagneront leurs mouvements de bruits de machine : grésillements, chuintements, claquements de langue ou de doigts, sifflements, grincements, crissements et gémissements donneront l'impression de se trouver dans une véritable usine. Vous pouvez aussi faire appel à des musiciens qui suivront les mouvements des différents mimes sur des instruments à percussion. Toutefois, la machine pourra uniquement démarrer lorsqu'un technicien l'aura lancée, en "branchant" un à un les divers éléments – les acteurs – par actionnement d'un bouton-poussoir, d'un interrupteur ou d'un levier. Bien entendu, le technicien devra réitérer l'opération pour arrêter la machine.

MIMER DES OBJETS

Pour les enfants plus âgés

Comment représenter une forêt sous forme de pantomime ? Comment donner l'impression d'une porte ou d'une chaise sans aucun accessoire ni décor ? En fait, avec un peu d'imagination, tout cela est possible sans trop de difficultés.

DANS LA FORÊT

Les acteurs se tiennent debout dans la pièce, assez près les uns des autres, mais sans toutefois se toucher. Ils étirent ensuite les bras et simulent ainsi des arbres avec leurs branches.
La forêt est si dense qu'il n'est pas facile de la traverser. Qui tentera tout de même l'aventure ? Le jeu s'avère vite passionnant.

IMPÉNÉTRABLE SOUS-BOIS

Les enfants jouent d'abord au "cercle magique" (voir page 84), mais restent ensuite dans la position enchevêtrée obtenue, formant ainsi un sous-bois dense et impénétrable.
Personne ne parviendrait-il vraiment à traverser cet épais maquis ? Il existe une fleur magique qui aidera l'intrépide à franchir les taillis hostiles. Dès que cette fleur touche un buisson, celui-ci relève ses branches très haut en l'air de manière à faciliter le passage.

LES ARBRES EN BALADE

Cette fois, les enfants marchent en tous sens dans la pièce, se croisent et se recroisent. Attention, aucun d'entre eux ne doit en bousculer un autre, mais personne ne doit pour autant ni s'arrêter de marcher, ni ralentir son allure. Tout l'art de ce jeu consiste à passer aussi près que possible des autres participants. Un gong retentit tout à coup et tous sont métamorphosés en arbres, s'immobilisent et étirent leurs bras comme des branches. Dans ce cas également, de valeureux héros peuvent tenter de traverser la forêt enchantée, mais s'ils touchent un arbre, ils seront aussitôt retenus prisonniers par ses branches !

QU'EST-CE ?

À partir du moment où les enfants ont compris que chaque objet pouvait être représenté sous forme de pantomime, et qu'ils se sont essayés eux-mêmes à cet art, ils éprouveront un réel plaisir à approfondir le sujet et à imaginer des devinettes. La règle du jeu : cinq acteurs minimum discutent un court moment de ce qu'ils souhaitent représenter, procèdent éventuellement à quelques essais dans la pièce voisine, puis présentent aux autres leur jeu-pièce de théâtre. Celui qui découvre l'objet choisit quelques partenaires et le jeu des devinettes se poursuit.

UNE CHAISE

Un joueur s'accroupit sur le sol, puis se met en boule et pose sa tête sur ses bras croisés. Un autre joueur s'agenouille derrière lui, représentant le dossier de la chaise. Il se tient le buste droit, les bras dressés. La chaise est prête.

UN TRÔNE

Un tel type de siège requiert plusieurs "éléments", en l'occurrence des joueurs. Le premier s'agenouille et représente l'assise, tandis que deux autres participants forment les bras du trône. Pour ce faire, ils s'agenouillent de chaque côté du premier, se penchent vers l'avant et s'appuient sur les mains. Deux autres s'agenouillent derrière "l'assise" et constituent le dossier en levant les bras au ciel. Le trône est terminé et le roi peut prendre place.

UNE MURAILLE AVEC UNE PORTE

Les enfants se tiennent serrés les uns contre les autres pour constituer la muraille. Deux d'entre eux forment l'ouverture de la porte en se tenant par la main et en levant le bras pour former l'arc de celle-ci. Deux autres, se tenant debout derrière cette ouverture, représentent les portes, dont le mode d'ouverture est tout à fait mystérieux. Quel est donc leur secret ? Une fleur magique pourrait par exemple être la solution...

PERSONNAGES : de nombreux enfants représentant la forêt, quelques "héros", le prince, le magicien, le narrateur. Seul ce dernier a la parole.

Il était une fois, voici bien longtemps, un château enchanté, perdu au milieu d'une forêt maléfique, impénétrable, sombre et mystérieuse.

De nombreux acteurs se pressent sur la scène et forment une forêt maléfique, telle que décrite à la page 86.

Moult chevaliers, princes et autres héros avaient déjà tenté de traverser cette forêt et de percer le secret du château enchanté. Mais aucun n'y était parvenu. Presque tous se perdirent dans l'inextricable sous-bois. Seuls quelques-uns arrivèrent jusqu'à la porte du château, mais ceux-là connurent un sort mystérieux, puisqu'aucun n'en revint jamais.

Quelques "héros" essaient de traverser la forêt maléfique (voir jeu page 86), mais ils restent coincés dans les branches et se transforment finalement en arbres.

Un beau jour, un autre prince tenta sa chance.
Alors qu'il s'approchait de la forêt impénétrable, son regard se posa sur le sol où il vit une petite fleur bleue. "Elle me portera chance", pensa-t-il et il la cueillit pour l'emporter avec lui.

Un garçon ou une fille, habillé (e) en prince, joue cette scène. Vous pouvez utiliser une fleur en papier comme accessoire, mais une fleur naturelle est préférable.

A peine le prince avait-il pénétré dans la forêt maléfique qu'il remarqua que la petite fleur bleue possédait un pouvoir magique extraordinaire. En effet, dès que celle-ci touchait les arbres hostiles, leurs branches se reculaient et se dressaient vers le ciel, permettant au prince de se déplacer sans difficulté au milieu du bois.

Il est important de jouer cette scène au ralenti : le prince avance de droite et de gauche dans la forêt et touche tous les "arbres" avec sa fleur. Ceux-ci se redressent lentement et tendent leurs "branches" vers le ciel, de telle sorte qu'ils constituent finalement une forêt claire, avec de hautes couronnes.

Puis le prince arriva devant une grande muraille.

Un puissant coup de gong retentit et tous les "arbres" se dressent à présent pour former une "muraille". Pour ce faire, les joueurs se serrent les uns contre les autres en ligne et lèvent les bras au ciel.

La muraille était si haute que le prince ne pouvait la franchir. C'est pourquoi il décida de la longer jusqu'au moment où il trouverait une porte. Il en découvrit une rapidement, mais celle-ci était verrouillée.

Le prince marche le long de la muraille. Si celle-ci s'avère trop courte faute d'un nombre suffisant de participants, les enfants devant lesquels le prince vient de passer courent à l'autre bout de la file et viennent s'intégrer à la chaîne en tant que nouveaux "éléments" du mur. Un coup de gong signale que le prince est arrivé devant la porte, rapidement représentée par les deux joueurs devant lesquels il se trouve à ce moment précis (voir pages 86-87).

Cependant, lorsque le prince toucha la porte avec la petite fleur bleue, les battants de celle-ci pivotèrent instantanément sur leurs gonds, lui ouvrant ainsi la voie vers le château enchanté.

La porte s'ouvre au son du gong ; la manière dont les acteurs jouent l'ouverture de la porte est expliquée aux pages 86-87.

Il pénétra dans une grande salle, dont les murs étaient bordés de personnages de pierre. Le magicien était assis, immobile, sur un trône somptueux. C'est lui qui avait transformé en statues tous les visiteurs indésirables.

Au son du gong, la scène se transforme en salle du trône. Six joueurs forment le trône (voir page 87), tandis que les autres représentent les personnages pétrifiés. Le magicien est également là, impassible, une grande baguette magique à la main.

Le prince étonné regarda autour de lui et observa avec curiosité les nombreux personnages de pierre. Ce faisant, il s'approcha lentement et prudemment du trône. Soudain, l'enchanteur se leva et toucha l'intrus de sa longue baguette magique. Rapidement, le prince lui opposa sa petite fleur bleue. Et il sembla d'abord qu'il fut lui aussi touché par l'envoûtement du magicien et commençait à se transformer en pierre. Visiblement satisfait, le magicien se rassit et s'endormit.

Le prince commence par déambuler dans la salle du trône, observe attentivement son environnement et touche de-ci de-là un personnage pétrifié. Dès que le magicien l'effleure de sa baguette, il a un brusque mouvement de recul, touche la baguette avec sa fleur et reste comme pétrifié. Ses yeux continuent cependant à bouger et il observe le magicien. Les spectateurs doivent alors se rendre compte qu'il n'a pas subi le sort, mais qu'il fait simplement semblant d'être pétrifié. Le magicien se rassied alors sur son trône sans se méfier et s'endort.

Une fois le prince certain que le magicien s'était endormi, il abandonna lentement sa position et s'approcha du trône avec prudence. L'enchanteur s'éveilla alors brusquement et voulut attraper sa baguette magique.
Mais le prince fut plus rapide et saisit la baguette avec laquelle il toucha le magicien. Celui-ci s'immobilisa alors et, à son tour, se transforma en une statue de pierre.

Le magicien et le prince jouent ce moment crucial de la pièce. Un grand coup de gong retentit au moment où le magicien est touché par la baguette.

Alors, le prince libéra tous les personnages de pierre du sort jeté par le magicien. Il les toucha les uns après les autres avec sa fleur bleue et les silhouettes figées se réveillèrent comme après un sommeil séculaire.
La joie fut grande et tous entourèrent leur sauveur et le remercièrent chaleureusement. En un long cortège, ils quittèrent le château en emmenant avec eux le mage pétrifié, qu'ils placèrent à l'entrée de la forêt, où on peut toujours le voir aujourd'hui.

À chaque fois que le prince touche un personnage avec la fleur bleue, on entend le gong. Les envoûtés se réveillent lentement, se redressent et s'étirent, puis accélèrent très progressivement leurs mouvements. Ils se rapprochent ensuite du prince, le félicitent et le remercient. Ils tournent enfin leur regard vers le magicien pétrifié et décident de l'emmener avec eux. Pour que cela soit possible, celui-ci doit être aussi raide qu'une véritable statue de pierre. Mieux celui-ci y parviendra, plus la tâche de ses "porteurs" sera aisée.

4

PIÈCES MASQUÉES

P rotégés derrière un masque ou un maquillage, les enfants oublient leurs inhibitions. Les plus timides peuvent tout à coup devenir intrépides, bavards, spontanés.

Il n'est pas nécessaire que ces déguisements soient très sophistiqués. Ce chapitre présente quelques exemples faciles à réaliser et économiques et apprend comment monter des pièces de théâtre articulées autour de ces petits artifices.

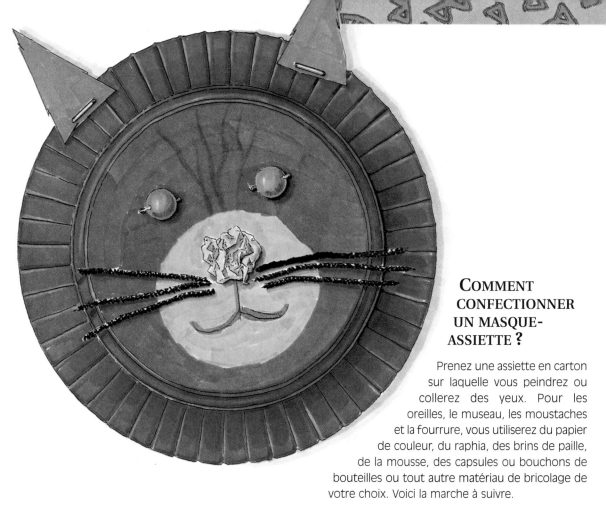

COMMENT CONFECTIONNER UN MASQUE-ASSIETTE ?

COMMENT CONFECTIONNER UN MASQUE-ASSIETTE ?

Prenez une assiette en carton sur laquelle vous peindrez ou collerez des yeux. Pour les oreilles, le museau, les moustaches et la fourrure, vous utiliserez du papier de couleur, du raphia, des brins de paille, de la mousse, des capsules ou bouchons de bouteilles ou tout autre matériau de bricolage de votre choix. Voici la marche à suivre.

◆ *Visage et yeux*

Laissez l'assiette en papier dans sa teinte naturelle ou peignez-la. Une fois la couleur de fond séchée, ajoutez les yeux, soit en les peignant directement sur le support, soit en collant des pastilles de papier d'une autre couleur. Les yeux mobiles donnent également un effet intéressant.

DES MASQUES EN UNE MINUTE

Ces masques, baptisés "masques-assiettes", sont simples à réaliser et idéaux pour les enfants impatients, qui voudraient se lancer sans plus attendre dans leur pièce de théâtre.

CE QUE VOIENT LES SPECTATEURS

Les spectateurs ne prêteront guère attention au fait que le visage du comédien soit légèrement décalé sur le côté par rapport au masque. Leur attention sera en effet captée par l'amusant jeu des masques multicolores, qui regardent de-ci de-là, qui semblent approuver fermement ou dodeliner lentement, ou sont secoués par des rires.

◆ Oreilles

Découpez deux oreilles dans du carton, du papier de couleur ou du papier crépon et agrafez-les sur le bord de l'assiette.

◆Museau

Le chat recevra un nez en papier multicolore, le petit lapin un museau en papier de soie chiffonné en boule et le chien une boîte en guise de truffe, agrémentée d'une langue collée.

◆ Moustaches

Les enfants confectionneront des moustaches en raphia, en paille ou en papier de couleur, puis les colleront sur le museau.

◆ Pièce masquée

Mais comment l'acteur pourrait-il voir quelque chose si le masque n'est pas percé de petits trous pour les yeux ? Rien de plus simple : il suffit que l'enfant maintienne son masque devant son visage, mais de façon légèrement décalée, de manière à pouvoir voir ce qui se passe sur le côté. Il n'est donc pas contraint de regarder par de petites ouvertures, ni d'aplatir son nez au revers du masque. En désaxant son masque de la sorte, le joueur peut déjà très bien apprécier son environnement. Cet aspect est particulièrement important pour les tout-petits.

L'acteur doit cependant s'efforcer de tenir son masque le plus près possible du visage. Et s'il le désire, il peut également se dissimuler entièrement derrière celui-ci. Une possibilité intéressante pour les enfants plutôt timides.

Ces masques-assiettes bricolés seront par exemple utilisés pour "La fête de la forêt", présentée aux pages 94-95.

La fête de la forêt

LE JARDIN COMME SCÈNE DE THÉÂTRE

Un jardin ou une prairie constitueront la plus belle des scènes de théâtre pour la réalisation de cette pièce. L'ours entame le jeu. Il fait quelques pas dans la prairie avec son pot de miel, puis rencontre l'écureuil qui entasse quelques noisettes dans son petit sac avant de l'accompagner. Tous deux marchent encore un peu. Ils tombent sur trois lapins qui ramassent des carottes et leur emboîtent le pas. La petite troupe continue ainsi de progresser, ses rangs grossissant au fur et à mesure des rencontres avec les autres animaux de la forêt. Chaque animal emporte un fruit ou un légume.

À la fin de la promenade, les spectateurs doivent également suivre la ménagerie.

PRÉPARATIFS

À partir de papier journal et de cartons de couleur, les enfants reproduiront plus grands que nature le pot de miel, les noisettes et tout ce que les animaux emmènent à la fête de la forêt. Pour former les noisettes par exemple, chiffonnez du papier journal en boule, que vous recouvrirez ensuite de papier de couleur préalablement encollé.

DÉROULEMENT

Le texte de chaque acteur étant très court, la pièce peut se dérouler sans grande préparation, ni multiples répétitions, à l'occasion d'une après-midi de jeu, d'une fête ou comme clôture d'une journée de promenade. Quelle surprise alors lorsque les acteurs sortent les masques multicolores d'un grand sac à dos et commencent la représentation. Si les enfants ne veulent pas parler, un narrateur contera l'histoire et les enfants mimeront les situations.

PERSONNAGES : l'ours, l'écureuil, le sanglier, trois lapins, le geai, le chevreuil, le cerf, le renard.

Mais qui voilà ?
C'est bien Monsieur Ours que je vois.
Comme vous êtes beau !
Où allez-vous si tôt ?

Salut, bel écureuil.
J'ai reçu une invitation de mon ami chevreuil.
C'est Dame Tortue qui m'a prévenue.
"Jeudi 6 septembre.
Venez vite à Argelette,
On va y faire la fête
Apportez des cadeaux
Ce sera plus rigolo."

Oh ! Monsieur Ours, je vous accompagne.
J'adore les danses et le champagne.

L'écureuil avance derrière l'ours
Apparaissent trois lapins.

Bonjour, mignons lapins.
Nous nous rendons à un festin.
Venez-vous avec nous
Faire les fous ?

Les trois lapins se mettent derrière leurs amis à la queue leu leu.

de Bernd Kohlhepp

Tous les animaux suivants feront la même chose.

Si la fête est rigolote
Volontiers, les potes
Nous apportons des carottes.

Un oiseau chante au loin.
Un lapin intervient.

Salut, l'oiseau !
Que fais-tu, là-haut ?
Arrête ton solfège,
Rejoins notre cortège.

L'oiseau se met dans la queue.
Après quelques pas, il appelle le renard.

Bienvenue Renard !
Dépêche-toi
pour ne pas être en retard.
Nous allons dans les bois
Faire un repas de roi.

À chaque fois, c'est le dernier arrivé qui appelle le suivant.

Ohé le chat,
Ne reste pas là !
Nous allons faire la fiesta.
Suis-nous, gentil matou.
Nous serons beaucoup.

Hello, grand cerf !
Sors de ta chaumière.
Ne reste pas solitaire.
Viens te distraire.

Tous les animaux chantent ensemble

" Et allongeons la jambe, la jambe, car
la route est longue.
Et allongeons la jambe, la jambe, car
la route est longue,
1, 2, 3, 4"

Ils arrivent dans une clairière.
L'ours s'écrie :

Nous voici chez notre ami
Bizarre, il n'y a personne ici.
Nous devons être en avance.
Vivement les réjouissances !

Le chevreuil sort de sa maison

Bonsoir, les amis !
Que faites-vous ici ?

L'ours répond :

Mais ne fais-tu pas la fête ?
Dame Tortue m'a apporté ta lettre.

Le chevreuil se met à rire :

Un peu lent mon facteur !
C'est le bon jour et la bonne heure
Mais c'était l'année passée !
Dame Tortue ne s'est pas pressée.
Qu'à cela ne tienne
Mes armoires sont pleines
Une fête surprise est plus sympa
qu'un dîner de rois, hourra !

Tous ensemble

Hourra !

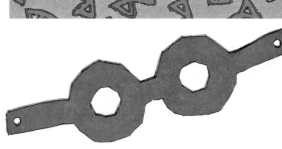

piègle moineau, le ténébreux corbeau, la mésange rieuse, la chouette insomniaque…

COMMENT CONFECTIONNER LE MASQUE D'OISEAU

Il est très facile de réaliser le masque à lunettes : découpez la forme de base dans du carton rigide (deux cercles reliés par un pont et prolongés de branches à gauche et à droite, puis percés de deux trous pour la vision). Le joueur vérifie s'il peut voir correctement au travers de ses "lunettes". Nouez ensuite un morceau d'élastique à chapeau aux extrémités des branches.

LA FÊTE DES OISEAUX

Pour les plus jeunes enfants

La fête des oiseaux permet de réaliser des masques assez simples, variés et très esthétiques. Ce peut être aussi l'occasion de faire découvrir aux petits différentes espèces qu'ils ne connaissent pas toujours : la chouette, le corbeau, la mésange… Au fil des jeux, il sera amusant de donner un caractère à chacun : l'es-

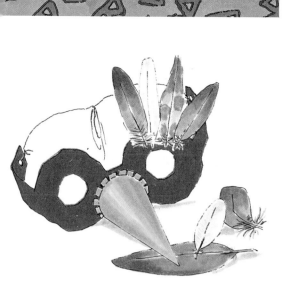

Si vous optez pour un carton à œufs, découpez deux cavités (logements des œufs) avec la partie saillante qui les relie. Coupez ensuite celle-ci et recollez-la à l'envers (voir dessin ci-dessous), puis pratiquez les trous pour les yeux et fixez un morceau d'élastique à chapeau de chaque côté.

◆ Décoration en plumes

Les enfants enduiront le masque à lunettes de colle et y fixeront des plumes d'oiseau multicolores (disponibles en magasins d'activités manuelles), de façon à ce que celles-ci s'étendent au-delà du bord du masque et le décorent richement. Si vous préférez réaliser des plumes en papier, découpez du papier de soie ou de couleur en longues bandes effilées et pointues, puis collez-y un fil de fer représentant le tuyau de plume, de façon à ce que les "plumes" deviennent rigides et puissent néanmoins être recourbées.

◆ Le bec de l'oiseau

Le moineau a un petit bec pointu, tandis que la chouette en possède un large. La cigogne exhibe

fièrement son bec long et fin, tandis que le canard est affublé d'un appendice large et arrondi. Vous reporterez la forme voulue sur du carton rigide, que vous découperez, puis plierez et collerez. Nouez ensuite un morceau d'élastique à chapeau sur le bec ainsi confectionné afin de maintenir celui-ci sur le nez. Bien sûr, vous pouvez aussi coller le bec directement sur le masque.

◆ La coiffe en plumes

Une coiffe en plumes complétera merveilleusement le masque d'oiseau. Pour ce faire, découpez un cercle dans du carton rigide, puis pratiquez une entaille radiale jusqu'au centre. Formez un chapeau plat dont vous collerez fermement les bords. Décorez-le ensuite de plumes et fixez-y un morceau d'élastique à chapeau.

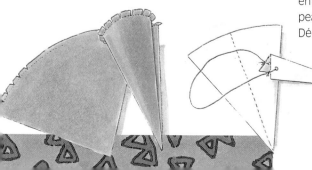

décrivent des cercles par d'amples coups d'ailes. Sur le sol, certains sautillent sur leurs deux pattes ou trottinent à petits pas rapides, alors que d'autres se dandinent lentement et lourdement. Les oiseaux bougent la tête de façon saccadée. Et comment regardent-ils autour d'eux, comment picorent-ils des graines, comment tirent-ils un ver hors de la terre et comment s'ébattent-ils dans l'eau après s'être rassasiés ?

VOLER

Après avoir bien observé les petits oiseaux, aux acteurs de se mettre dans leurs plumes ! Les bras seront des ailes avec lesquelles ils battront l'air vigoureusement, puis ils s'accroupiront et regarderont le sol. Ils déplaceront la tête d'avant en arrière et observeront la terre avec un œil puis l'autre. Ils se mettront ensuite à avancer en scrutant attentivement l'horizon de tous côtés. La pièce se transforme alors en un paradis des oiseaux, dans lequel des espèces multicolores volent, planent, voltigent, descendent en piqué, glissent dans les airs ou décrivent des cercles.

Un grand oiseau plus imposant peut créer la zizanie dans le groupe en donnant de grands coups d'ailes.

JE SUIS UN OISEAU

Comment sautille un moineau, comment parade un coq, comment se dandine un canard, comment vole un merle, comment roucoule un pigeon et comment crie une mouette ? Pour obtenir une réponse précise, le mieux est que les enfants observent ces différents oiseaux dans la nature, écoutent les sons qu'ils produisent, étudient leur manière de voler et d'évoluer sur la terre ferme. Il sera ensuite plus facile pour les acteurs de reproduire ces mouvements inhabituels pour des êtres humains. Certains volatiles battent des ailes avec énergie d'avant en arrière, tandis que d'autres se déplacent dans le plus grand silence ; d'autres encore filent comme une flèche dans les airs, ou

Un costume ailé

Le jeu s'avère encore plus joli avec un costume ailé, car les ailes de papier volettent et bruissent, et les enfants ont alors l'impression de devenir de véritables habitants du ciel. Pour confectionner le costume, découpez les ailes dans du papier crépon et collez-y quelques bandes de papier plus étroites, qui représenteront les plumes. Vous fixerez simplement les ailes aux longues manches d'un pullover en les cousant au point de bâti, ou au moyen d'épingles de sûreté ou d'adhésif double face pour papier crépon. Vous pouvez aussi déchirer ou découper de nombreuses bandes de papier et les fixer individuellement sur les manches du pull.

Devinettes ornithologiques

Lorsqu'ils auront bien maîtrisé le jeu, les enfants doivent deviner l'oiseau imité successivement par chacun de leurs compagnons. Mathieu évolue dans la pièce, tel un coq fier de sa basse-cour. Alex prend sa succession et décide de se dandiner comme un canard, si bien que les autres résolvent l'énigme aussi rapidement. Christine mime ensuite une oie, qui s'élance en sifflant vers les spectateurs, le cou allongé. Martin choisit quant à lui le paon et montre des mains la grande roue qu'il déploie. Puis c'est au tour de Sébastien, qui joue le poussin à peine sorti de sa coquille, tandis que Deborah se prend pour une cigogne, debout sur ses pattes d'échassier, et claque de son long bec, symbolisé cette fois par les bras.

Ce jeu n'est pas toujours aussi simple qu'il y paraît et lorsque le groupe ne parvient par à deviner l'oiseau représenté, l'acteur peut aider ses camarades en leur fournissant des indices, comme :
" Cet oiseau est grand et aime beaucoup les grenouilles !"
" Cet oiseau vit à la ferme !"
" Cet oiseau réveille tout le monde le matin !"

UN FIL CONDUCTEUR

ALOUETTE

A- lou-et- te gen-tille a- lou-et- te, a- lou-et- te

Fin

je te plu-me- rai. Je te plu-me-rai la tête, je te plu-me-rai la tête.

Et la tête et la tête, A - lou-ette, a-lou - ette, Ah !

LA VOLETTE

C'est un p'tit oi- seau qui prit sa vo-

lée, qui prit sa, à la vo- let- te, qui prit

sa, à la vo- let- te qui prit sa vo- lée.

Une fête scolaire ou une après-midi de spectacle pourrait être agréablement entrecoupée de rondes d'enfants portant sur le thème commun des oiseaux. Très simplement théâtralisés et ne demandant pas de changement de costumes, ces petits interludes seront le fil d'Ariane de toutes les animations : remise de prix, discours, pièces.

Le thème des oiseaux est en effet très riche. Par un jeu de nuées soudaines, les entrées et venues des enfants sont tout à fait dynamiques.

De multiples chansonnettes connues peuvent facilement être mises en scène même par des petits de la maternelle : *Alouette* – *La pie qui chante* – *Dans la forêt lointaine* – *Passe, passera* – *La Volette*.

Pour mettre en évidence plusieurs acteurs, on pourra changer le nom des oiseaux au fur et à mesure des refrains de chacune des chansons. Par exemple, "*Petite poule, gentille petite poule*" – "*Y'a une oie dans le jardin, j'entends l'oie qui chante*" – "*Nous l'attraperons le petit moineau*...".

LES MUSICIENS

Les ritournelles sont encore plus sympathiques si des musiciens accompagnent le groupe en jouant, de la guitare, du tambour, des maracas, des castagnettes ou d'autres instruments à percussion. Et si vous souhaitez intégrer les spectateurs dans le spectacle, confiez-leur soudainement les instruments et demandez-leur d'accompagner la chanson sur des rythmes libres.

AU CIRQUE

Au cirque, les lions sautent au travers de cerceaux enflammés, les éléphants font la ronde, les singes la culbute ; les ours nous étonnent par leur adresse et les clowns nous font hurler de rire.

Plus le nombre de participants est élevé et plus le spectacle du cirque sera excitant. Et bien sûr c'est Monsieur Loyal qui dirigera la représentation et introduira les différents numéros.

LE CHAPITEAU

Constituez les parois du chapiteau avec du tissu ou des bandes de papier crépon. Si le spectacle a lieu dans le jardin, optez pour de la corde à linge et du tissu fixé par des pinces à linge. Si la représentation se déroule à l'intérieur, placez un crochet au plafond et, à partir de celui-ci, étirez de nombreuses bandes de papier crépon pour former le sommet du chapiteau. Les artistes disperseront ensuite de la sciure humide sur le sol, ce qui conférera non seulement un caractère réaliste à la piste, mais permettra aussi aux comédiens d'y sauter et de s'y ébattre en toute sécurité.

UN MASQUE ANIMALIER

Les animaux du cirque adorant batifoler sur la piste, des masques-chapeaux conviennent parfaitement aux acteurs. Ils tiennent en effet fermement sur la tête et les enfants peuvent en outre regarder devant eux sans entrave. Nous décrivons ici un modèle de base, que vous pouvez modifier à votre guise en fonction de chaque animal, en réalisant par exemple des oreilles grandes ou petites, des moustaches courtes ou longues, etc.

Voici comment procéder :

Gonflez tout d'abord un ballon à la taille d'une tête d'enfant puis nouez-le. Déchirez ensuite des petits morceaux de papier journal, encollez-les, puis appliquez-les sur trois à quatre épaisseurs tout autour du ballon. Pour la dernière couche, employez du papier machine blanc. Attendez deux à trois jours que l'ensemble soit bien sec, puis découpez une forme de chapeau.

◆ *La face et les yeux*

La face est peinte ou recouverte de papier de soie de couleur. Le cas échéant, vous pouvez ajouter de la peluche entre les oreilles ou à l'arrière de la tête. Représentez les yeux par des perles, du papier de

couleur ou des pelotes de papier de soie. Faites de petits trous sur les côtés et nouez ensuite un morceau d'élastique à chapeau afin de maintenir le masque.

◆ Les oreilles

Découpez les oreilles dans du carton rigide, puis repliez les bords inférieurs que vous encollerez et fixerez sur le masque-chapeau. Vous pouvez renforcer les oreilles en les recouvrant de papier encollé.

◆ Le museau

Réalisez le museau en carton rigide ou avec une boule de papier de soie mise en forme, puis collez-le sur le masque.

◆ Le pelage

Les acteurs porteront de préférence un pull et un pantalon de la couleur du pelage de l'animal et

enfileront des gants pour symboliser les pattes ou les griffes.

◆ Les éléphants arrivent

Les masques d'éléphant possèdent de grandes oreilles en carton, renforcées sur leurs bords par du fil de fer, ainsi qu'une trompe, constituée de rouleaux de papier assemblés les uns derrière les autres et une paire de défenses en carton fort.

Les éléphants ont une démarche lente et mesurée, ils progressent à pas lourds et cadencés. Il ne faut pas oublier que ce sont des pachydermes très pesants ! Une fois que les enfants en ont bien pris conscience, ils imiteront sans peine la démarche du noble animal. Pour ce faire, ils ne doivent pas marcher à quatre pattes, mais uniquement sur leurs "pattes postérieures", les "pattes antérieures" se déplaçant comme si elles faisaient des pas mais sans jamais toucher le sol. Tous les animaux du cirque se déplacent de la sorte.

Le dompteur indique par des signes aux éléphants ce qu'ils doivent accomplir : former un cercle, se dresser ou marcher l'un derrière l'autre.

LE DRESSAGE DES LIONS

Les lions portent des masques-chapeaux (voir page 102) dotés d'une épaisse crinière en raphia ou en laine. Confectionnez-la comme une perruque (voir pages 142-143), collez-la et ajustez-la sur le masque-chapeau.

Et comment un lion évolue-t-il ? Son pas est puissant et posé. Pour reproduire sa démarche, l'acteur ne progresse pas à quatre pattes, mais uniquement sur ses "pattes postérieures". Il doit cependant se mouvoir de manière à ce que ses "pattes antérieures" bougent effectivement, mais sans jamais toucher le sol.

Un dompteur dresse les fauves féroces et ce numéro donne lieu à des tours amusants, comme par exemple :

- sauter au travers d'un cerceau enflammé : utilisez pour ce faire un cerceau de bois décoré de bandes de papier collées symbolisant les flammes rougeoyantes et dansantes ;
- se tenir en équilibre sur une corde posée sur le sol ;
- un lion s'accroupit sur le sol et les autres sautent au-dessus de lui ;
- la pyramide des lions : deux lions s'agenouillent face à face et deux autres se tiennent debout derrière eux en posant leurs pattes antérieures sur les épaules des premiers, puis le lionceau vient "s'asseoir" au sommet.

On peut également y ajouter une petite touche d'humour : un lion désobéissant vient mordre la culotte du dompteur et s'encourt parmi les spectateurs.

LES TOURS D'ADRESSE DES OURS

Comment un ours marche-t-il ? Les enfants pourront facilement s'essayer à cette allure particulière. La démarche du plantigrade est assez gauche et donne l'impression d'une certaine maladresse, ce qui lui confère un petit côté cocasse. L'ours se redresse et se balance d'une "patte" sur l'autre, les épaules légèrement penchées vers l'avant. D'un naturel curieux, il regarde sans cesse dans toutes les directions. Ses mouvements sont lourds et lents et en aucun cas brusques ou rapides.

Au cirque, les ours dansent en rond, sautent au-dessus de boîtes en carton aux couleurs vives, jouent à deux avec une balle, sautent à cloche-pied, maintiennent un bâton en équilibre dans le creux de leur "patte", grimpent sur une table et sautent courageusement sur des matelas recouverts de tissus multicolores, traversent à quatre pattes des cerceaux de bois, montent sur des caisses et font le beau, voire pratiquent la trottinette !

LE NUMÉRO DES SINGES

Les singes bondissent comme des fous, jouent avec des ballons, marchent sur des échasses, éclaboussent les spectateurs, l'un se met dans une brouette tandis qu'un autre le pousse. La bande de singes éprouvera beaucoup de plaisir à imaginer bêtises et autres tours désopilants.

Et si les acteurs, à force de rire, ne parviennent plus à mimer les singes, cela ne pose aucun problème, puisque le but du jeu est bel et bien d'amuser les enfants.

ET EN PLUS AU PROGRAMME DE CE SOIR...

... une funambule, un haltérophile, un charmeur de serpent, un magicien, un ventriloque et bien sûr la troupe des clowns (voir pages 80-83).
Tous en piste pour le grand spectacle du cirque ! Et l'accompagnement musical est assuré par les musiciens de carton (voir page 49).

CHEVALIERS ET HÉROS

Les chevaliers et héros sont courageux, ils se lancent dans les plus folles aventures, ignorent toute peur. Ils sont valeureux et combattent d'horribles monstres et des dragons crachant le feu. Ils portent des armures et montent de fiers destriers. Il existe de nombreux chants, histoires et récits contant leurs exploits.

Ce sont surtout les plus grands enfants qui apprécieront de mettre en scène une épopée et de confectionner costumes et décors.

Le heaume du chevalier est facile et rapide à fabriquer. Il s'agit d'un masque cylindrique qui recouvre entièrement le visage du joueur.

COMMENT CONFECTIONNER UN MASQUE CYLINDRIQUE

Coupez en deux dans le sens de la longueur un morceau de carton rigide de format DIN A2. Dans une des deux moitiés obtenues, l'enfant découpera une visière. Ramenez les bords de l'autre moitié l'un contre l'autre de manière à former un cylindre et vérifiez qu'il s'adapte bien à la tête de l'enfant. Collez alors seulement les deux bords. L'acteur enfile ensuite son masque de manière à ce que celui-ci repose sur ses épaules, puis repère la position de ses yeux qu'il marque de l'extérieur avec un crayon.

Il ôte ensuite son masque, puis découpe un grand ovale à hauteur du visage en fonction des repères tracés pour les yeux. Le chevalier s'assure alors que son masque ne l'empêchera pas de distinguer correctement son environnement et rectifie au besoin l'orifice, mais son champ de vision restera de toute façon quelque peu limité. Si cet accessoire gêne trop l'enfant surtout lors des batailles, il est préférable qu'il se confectionne un masque-chapeau (voir page 102).

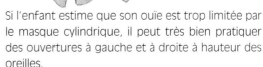

Si l'enfant estime que son ouïe est trop limitée par le masque cylindrique, il peut très bien pratiquer des ouvertures à gauche et à droite à hauteur des oreilles.

Astuce : Vous pouvez très facilement transformer les masques cylindriques en masques d'animaux : il suffit d'ajouter des oreilles, un museau ou une trompe, un pelage en ficelle ou une crinière en laine et de peindre des yeux au-dessus du trou percé pour la vision.

LE COSTUME DU CHEVALIER

Le chevalier décore à présent son heaume. Pour ce faire, rien de plus simple : attachez de nombreuses bandes de papier crépon tout autour du sommet du masque et l'effet sera garanti. Bien sûr, le héros peut aussi décorer sa coiffe plus richement en employant des rubans, des cocardes, des perles enfilées sur de la ficelle, du papier scintillant et toutes sortes de petits objets multicolores. Les masques ainsi obtenus sont vraiment superbes. La décoration dépend bien sûr de l'histoire dans laquelle le chevalier va jouer.
Le carton ondulé convient parfaitement aux armures, les boucliers et épées demandent du carton plus résistant. Tous ces objets seront peints dans des couleurs vives et décorés de galons en papier crépon ou scintillant.

LE CHEVALIER ET SA MONTURE

Si le héros a besoin d'une monture pour triompher dans ses aventures, il doit confectionner une tête de cheval en carton qu'il fixera à un corps réalisé en fil de fer, puis recouvert de papier ou de tissu. Il ne montera pas sur son fier destrier mais dans celui-ci et le maintiendra suspendu par deux lanières reposant sur ses épaules. L'enfant qui n'est pas très porté sur le bricolage pourra tout aussi bien choisir un traditionnel cheval de bois dans "l'écurie".

AU PAYS DES DRAGONS

Les enfants aiment souvent inventer et mettre en scène des histoires de chevalier et de dragon. Le texte suivant peut à cet égard constituer une source d'inspiration. Mais dans ce récit, rien n'est conventionnel : ce n'est pas le prince qui est sans peur et sans reproche, mais la princesse, tandis que le dragon n'est pas méchant et dangereux, mais inoffensif et craintif et c'est bien pourquoi il hurle si fort. Quant au combat, il ne se déroule pas à coups de lourdes épées, mais au son de mélodies aériennes interprétées à la flûte.

IL ÉTAIT UNE FOIS…

… un grand pays dans lequel habitait le petit Thierry. Son père était le grand et valeureux chevalier Victor du Royaume des Loups. Thierry était voué à devenir un chevalier aussi courageux que son père, mais il était petit et délicat et préférait vraiment jouer de la flûte que de frapper du glaive, au grand dam de son père.
Un beau jour, le chevalier Victor en eut assez et décida d'envoyer son héritier dans le vaste monde, afin qu'il apporte la preuve de son courage et montre sa puissance au cours de multiples aven-

tures. Bien sûr, Thierry ne correspondait pas du tout à cette image, mais il n'osa point désobéir à son père. Au moment du départ, celui-ci lui offrit une magnifique armure rutilante et un splendide pur-sang. C'est dans cet équipage que le petit Thierry entama sa longue route.

IL ÉTAIT UNE FOIS…

… un petit pays dans lequel vivait la petite Marie. Sa mère était une femme intelligente et distinguée, la reine Catherine du Royaume des Aigles. Marie était vouée à devenir une reine cultivée et raffinée comme sa mère, mais elle était impatiente et n'éprouvait aucune passion pour la lecture ou l'apprentissage. Elle préférait de loin jouer à l'acrobate sur les remparts du château ou se bagarrer avec les chiens, au grand dam de sa mère.
Un beau jour, la reine en eut assez et décida d'enfermer sa fille dans les appartements royaux, afin qu'elle y reçoive une éducation et apprenne comment doit se comporter une princesse distinguée. Bien sûr, cela ne plut pas du tout à la petite Marie, mais elle n'osa point désobéir à sa mère et se rendit docilement dans sa chambre princière.

Et il advint que...

... le prince arriva dans le petit Royaume des Aigles de la reine Catherine. Il frappa à la lourde porte du château et demanda l'hospitalité. Lorsque la reine apprit que le visiteur était un chevalier qui cherchait à apporter la preuve de son courage, elle se déplaça personnellement pour lui souhaiter la bienvenue. Elle lui conta alors la frayeur dans laquelle vivait son pays : derrière les sept collines vivait depuis un certain temps un féroce dragon. Les gens en avaient peur, ses hurlements et ses feulements s'entendaient de très loin et nul n'osait s'aventurer jusqu'aux sept collines. Elle annonça au chevalier que s'il parvenait à tuer ce dragon, elle lui donnerait sa fille comme épouse et il régnerait sur son pays. Le petit chevalier fut saisi d'effroi, mais il s'engagea courageusement à la recherche du terrible animal.

Marie, qui écoutait attentivement derrière la porte, avait tout entendu. Elle réfléchit alors au moyen qu'elle pourrait utiliser pour persuader le petit chevalier de l'emmener en secret avec lui. Car Marie aimait l'aventure et n'éprouvait aucune crainte vis-à-vis du dragon...

Puis...

... Marie parvint à convaincre Thierry de la laisser l'accompagner. Ensemble, ils échafaudèrent un plan qui devait leur permettre de surprendre et de vaincre le monstre. Mais rien ne se passa comme ils l'avaient prévu, car la bête, qui hurla tout d'abord de peur, versa ensuite de grosses larmes de dragon (représentées par exemple dans la pièce par des billes de verre multicolores), lorsque Thierry se mit à jouer de jolies mélodies sur sa flûte.

C'est grâce à cette même musique que Thierry parvenait à apaiser son père lorsque celui-ci était en colère contre lui et le réprimandait. Aucun combat n'eut lieu. Bien au contraire, le dragon écoutait maintenant attentivement la musique de Thierry, tandis que Marie caressait doucement le menton du faux monstre ou le taquinait pour jouer.

Les pages 36 à 43 contiennent des "trucs" pratiques vous permettant de monter une pièce de théâtre à partir d'une histoire de ce type.

MAQUILLAGE

Comme les masques, le maquillage permet de donner une apparence radicalement différente au comédien. De simples traits et applications de couleur peuvent modifier le visage à un point tel que l'on doit regarder la personne très attentivement pour deviner qui elle est. L'enfant peut encore renforcer cette métamorphose par des grimaces, en fronçant les sourcils par exemple lorsqu'il doit jouer le rôle d'une personne renfrognée.

AVOIR L'AIR PLUS VIEUX

L'acteur s'assied devant un miroir et commence à faire des grimaces. Il doit alors repérer les endroits où se forment des rides : sur les joues, le front, le contour des yeux et de la bouche. Il repassera ensuite ces rides avec un crayon à maquillage de couleur foncée. Il est toujours très amusant de voir comment son propre visage se transforme trait pour trait en un visage vieux et ridé. Pour renforcer l'effet obtenu, vous pouvez tout d'abord appliquer une base pâle sur le visage et de l'ombre à paupières grise autour des yeux.

Différents personnages évoqués dans les pages précédentes pourront prendre cette apparence :

par exemple la marâtre de Blanche-Neige, la sorcière de Hänsel et Gretel ou la méchante fée dans "La Belle au bois dormant".

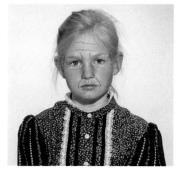

Attention : un visage grimé de la sorte risque d'effrayer les tout-petits. Ils éprouveront une vraie crainte, même devant une personne connue, car ils seront persuadés que celle-ci s'est réellement transformée en un être méchant.

Le méchant magicien dans la forêt maléfique (voir pages 88-89) prend cette apparence.

AVOIR L'AIR JOLI

Les règles de maquillage pour les jolies princesses sont assez simples. Une touche de rouge clair au-dessus des yeux et sur le dos du nez augmente la crédibilité du visage. On peut également maquiller les joues en rouge clair et réaliser un motif en forme de demi-lune remontant jusqu'aux tempes. Vous ferez ressortir le regard en appliquant une couleur claire sur les sourcils, voire en ajoutant un petit point rouge dans le coin intérieur de l'œil. Les contours des lèvres maquillées seront peints avec un crayon rouge foncé.

Évidemment toutes les princesses dont il est question au deuxième chapitre de ce livre prennent cette apparence.

AVOIR L'AIR MÉCHANT

La peau du méchant présente une couleur sombre avec des ombres encore plus foncées autour des yeux, ses sourcils sont épais et noirs et il peut porter la moustache. Vous pouvez en outre appliquer le truc de maquillage suivant pour renforcer les traits de caractère recherchés : devant le miroir, le comédien éclaire son visage par le dessous avec une lampe de poche et crée ainsi des zones d'ombre qu'il maquillera avec des couleurs plus sombres encore et dont il estompera ensuite légèrement les bords. Ce triste sire sera vraiment terrifiant !

QUI ES-TU ?

Nous présentons sur cette page des maquillages d'un type particulier. En utilisant lignes, carreaux, cercles et autres formes géométriques, vous transformerez le visage à un point tel que la personne deviendra pratiquement méconnaissable. Cela semble peut-être difficile à croire, mais une fois que vous aurez essayé ces maquillages, vous serez stupéfait de l'ampleur de la métamorphose.

JEU DE GRIMAGES

Les maquillages produisent un effet maximum lorsque les acteurs portent des vêtements simples, comme des T-shirts et des caleçons de couleur unie, ou des collants de même teinte.
L'association de ces maquillages et costumes vous permettra par exemple d'interpréter les pantomimes expliquées au troisième chapitre.

Voici quelques idées de sketches que les acteurs pourront développer eux-mêmes :
- Rencontre avec un être venant d'une lointaine étoile.
- Les robots arrivent et bouleversent tout.
- Le soleil a rendez-vous avec la lune.
- Deux étrangers se rencontrent et deviennent amis.

MAQUILLAGES DE THÉÂTRE

Pour ces grimages, il est préférable d'employer un véritable matériel de maquillage de théâtre. Ces produits n'irritent pas la peau et sont aussi faciles à appliquer qu'à enlever. Choisissez des produits de maquillage à base d'eau, ils s'éliminent par un simple nettoyage au savon.

Conseil : Commencez toujours par grimer seulement une petite partie du visage, car la peau de certains enfants peut réagir à l'application de produits de maquillage de couleur. Si une réaction allergique se produit, optez plutôt pour un masque que pour un maquillage et l'enfant sera tout aussi heureux.

DE QUELLE COULEUR ES-TU ?

Vous habitez au pays des carreaux bleus. Bien entendu, vos habits et votre peau seront recouverts de carreaux bleus, puisqu'il ne peut en être autrement. De cette manière, vous repérerez aisément l'étranger dans votre pays, tel l'être à pois rouges. Il est reconnaissable de loin et tous sont d'accord sur un point : il ne passe pas inaperçu chez vous…

Cette histoire est une pièce chantée, décrite plus précisément à la page suivante. Les maquillages et costumes seront rapidement réalisés : les acteurs se dessinent sur le visage et le cou des carreaux bleus ou des pois rouges, des bandes vertes ou des taches jaunes, et peignent les mêmes motifs sur leur T-shirt blanc avec des couleurs pour textiles. L'effet obtenu est tout à fait impressionnant.

AU PAYS DES COULEURS

Musique : Klaus W. Hoffmann

Au pa- ys des hom- mes bleus, On ne voit que du bleu. Et

quand un hom- me tout rou ge, Dans ce pa- ys s'en vient.

Les hom- mes bleus voient tout rouge : Tu ne pas - se- ras point.

nous, noussom- mes les rois ! Vi- ve les hom mes bleus !

Vive les hommes bleus !
Au pays des hommes rouges,
On ne voit que du rouge.
Et quand un homme tout vert,
Dans ce pays, s'en vient
Les hommes rouges sont
en colère.
Tu ne passeras point
Chez nous, nous sommes
les rois !
Vive les hommes bleus !

DÉROULEMENT DU JEU

La pièce chantée "Au pays des couleurs" nous amène à réfléchir : il n'y a pas qu'en ce pays que les gens adoptent une attitude aussi négative vis-à-vis d'un étranger. Les enfants devraient discuter du contenu de la chanson et des impressions qu'ils en retirent, avant la représentation et même avant les répétitions. Il sera ainsi plus facile au groupe de trouver une forme de mise en scène pour cette chanson.

Une petite proposition pour le jeu :

Les "carreaux bleus" se placent en cercle, chantent la chanson et dansent les uns avec les autres. Au refrain : "Tu ne passeras point", tous s'immobilisent, désignent l'étranger du doigt et lui font comprendre qu'il doit disparaître de leur ronde. Attristé et apeuré, celui-ci s'éloigne vers les êtres à pois rouges qui se trouvent à quelques mètres de là et par lesquels il est chaleureusement accueilli. Les hommes rouges se placent en cercle pour danser et chanter le deuxième couplet et c'est cette fois l'homme à bandes vertes qui sera exclu. Celui-ci s'en retournera vers son pays, c'est-à-dire vers son groupe, où, à son tour, il ne manquera pas de zèle lorsqu'il s'agira de chasser l'être à carreaux bleus.

Heureusement, il existe aussi un pays des couleurs. Il s'agit d'une contrée où les êtres à carreaux bleus, à pois rouges et à bandes vertes se mélangent, se donnent la main et chantent ensemble dans une grande ronde le quatrième couplet. À "Viens", ceux-ci arrivent de toutes les directions, se joignent à l'ensemble pour chanter et danser également. Cette chanson permet à plusieurs enfants de participer à ce jeu de scène. Il en faut huit minimum, mais ce chiffre peut très bien atteindre vingt, voire davantage.

Au pays des hommes verts,
On ne voit que du vert.
Et quand un homme tout bleu,
Dans ce pays, s'en vient
Les hommes verts crient au feu.
Tu ne passeras point
Chez nous, nous sommes les rois !
Vive les hommes verts !

Au pays des vives couleurs,
On ne vit que bonheur.
Et quand un homme d'ailleurs,
Dans ce pays s'en vient
on entend une grande clameur
Viens, viens, viens, viens
Chez nous, nous sommes tous rois !
Nous, vous, toi, moi.

5

THÉÂTRE
D'OMBRES

Tout enfant fait tôt ou tard l'expérience des jeux d'ombres : par une belle journée ensoleillée ou à la lumière d'une lampe de chevet.

Ce chapitre expliquera comment transformer ces jeux en véritables ombres chinoises et comment, à partir de là, réaliser un spectacle de théâtre captivant grâce à quelques trucs pratiques intéressants.

LUMIÈRE ET OMBRES

Les ombres chinoises peuvent être réalisées sur différents types de scènes. Pour les premiers essais et jeux d'ombres, il suffit d'un drap blanc, d'une corde et de pinces à linge. En effet, le plaisir des enfants s'émousserait rapidement s'ils devaient d'abord construire et aménager laborieusement une scène. Par la suite, le groupe optera peut-être pour une scène plus grande, lorsqu'il sera déjà familiarisé avec les diverses techniques et les merveilleuses possibilités offertes par le théâtre d'ombres.

DIFFÉRENTES SCÈNES DU THÉÂTRE D'OMBRES

◆ *Drap de lit et corde à linge*

Une corde à linge est tendue en travers de la pièce, un drap blanc y est suspendu et fixé par des pinces à linge. Les participants doivent veiller à ce que le drap ne soit pas chiffonné, afin que les ombres ne présentent pas de plis ni d'ondulations susceptibles de les déformer.

◆ *Papier et lattes de bois*

Une grande et large feuille de papier, une feuille de papier d'emballage de faible épaisseur, du papier d'architecte, voire du papier à décor provenant d'un magasin spécialisé dans les articles de théâtre, est agrafé sur ses bords inférieur et supérieur à des lattes de bois. Il suffit ensuite d'accrocher une cordelette à chacune de ces lattes, puis de suspendre la latte supérieure au plafond et d'attacher la latte inférieure au plancher, de façon à ce que l'écran de papier soit bien tendu.

◆ *Tissu et tiges en métal*

Les participants utilisent à cet effet un morceau de drap ou de mousseline d'environ 2,5 x 4,0 m avec deux larges bords cousus par lesquels ils font passer une tige de métal verticalement ou horizontalement. Le mieux est d'utiliser des tiges emboîtables, comme les piquets des tentes de camping. Lorsque les tiges sont placées en haut et en bas, il suffit de suspendre l'écran au plafond ; si elles le sont à gauche et à droite, elles peuvent être fixées dans des supports de parasol. Ces scènes sont très faciles à transporter, car elles peuvent être enroulées et ne sont guère encombrantes.

QUI EST-CE ?

Les enfants sont assis devant la scène. Trois acteurs se trouvent derrière l'écran. Le projecteur est placé suffisamment près de ce dernier pour que seule l'ombre du visage apparaisse. Ce jeu de devinettes enthousiasme les enfants, car il ne leur est pas si facile d'identifier leurs camarades.

Un premier " acteur " se présente sous les feux du projecteur. Il ne peut se mettre face à l'écran sinon personne ne pourra le reconnaître. C'est seulement lorsqu'il se met de côté et que l'ombre de son profil se détache que le jeu peut commencer. Rien n'empêche l'ombre de tirer la langue, d'avancer le menton, de gonfler les joues pour tromper les spectateurs et les faire rire.

LUMIÈRE

Les lampes de bureau, les vieux phares de voiture, les rétroprojecteurs et projecteurs de diapositives se prêtent bien aux jeux d'ombres chinoises.

Le faisceau lumineux est orienté de manière à éclairer complètement l'écran du théâtre d'ombres, de l'extrémité supérieure au bord inférieur, mais pas au-delà. À droite et à gauche, une bande de l'écran doit rester dans l'obscurité pour que les acteurs puissent s'y dissimuler avant de faire leur entrée. Plus l'écran est grand, plus la source de lumière doit être éloignée. La distance peut être de 6 m ou plus. Dans ce cas, une seule règle : faire des essais !

Les ombres apparaissent le plus nettement lorsque la pièce est plongée dans une obscurité totale. Mais comme les enfants doivent tout d'abord s'habituer à jouer dans le noir, un faible éclairage peut être installé du côté opposé à l'écran. Il est conseillé de laisser une petite lampe allumée pour les spectateurs, même pendant la représentation, car certains peuvent être pris de peur dans une obscurité complète.

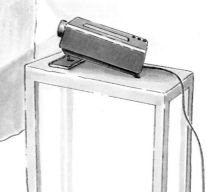

PREMIERS ESSAIS

Lors des premiers jeux et exercices, les enfants se familiarisent avec les subtilités des ombres chinoises. C'est pourquoi un seul d'entre eux prend place derrière l'écran. Les autres tentent d'identifier les gestes et disent ce qui leur paraît bien ou non. Il va de soi que les commentaires ne seront jamais méchants et que les comédiens en herbe seront toujours des volontaires ! La présence d'un meneur de jeu est donc requise, mais il est aussi utile que les spectateurs conseillent les acteurs, car ils se rendent mieux compte du résultat obtenu que ceux-ci.

SE DÉPLACER

Gestes : Marcher de long en large, sautiller ou sauter, marcher à pas feutrés, partir à la hâte…

Observation : Les enfants s'aperçoivent que l'effet produit est meilleur lorsque l'acteur se déplace lentement, comme au ralenti.

SE TENIR DEBOUT

Gestes : Faire signe aux spectateurs, chercher quelqu'un du regard, pleurer ou rire, s'étirer et bâiller…

Observation : Ces mouvements doivent être eux aussi accomplis de façon très lente et très expressive. Le visage de l'acteur ne peut être reconnu que lorsqu'il se place de profil. D'autres attitudes qui se prêtent particulièrement bien au théâtre d'ombres sont évoquées aux pages 14-17, 76, 77 et 84.

À DEUX

Gestes : Marcher l'un derrière l'autre, se rencontrer et se saluer, danser à deux, se quereller ou se battre, faire des pitreries, se murmurer quelque chose…

Observation : Les ombres se superposent et se confondent lorsque les acteurs se tiennent trop près l'un de l'autre.

AVEC DES ACCESSOIRES

Gestes : Être assis sur une chaise, mettre le couvert, chercher quelque chose dans sa poche, jouer au ballon ou avec des bulles de savon, allumer une bougie, jouer avec une marionnette ou un animal en peluche…

Observation : Plus la forme des accessoires sera simple et précise, plus il sera facile de les identifier.

AVEC DES COSTUMES

Gestes : Mettre un chapeau, enfiler une veste, un manteau ou des grandes bottes, nouer un tablier…

Observation : Certains costumes conviennent très bien aux ombres chinoises, d'autres ne sont absolument pas identifiables. Les vêtements très grands qui modifient complètement la silhouette de l'acteur produisent le meilleur effet.

QUELQUES RÈGLES À SUIVRE

Après ces premières expériences, les enfants se sont familiarisés avec les grands principes suivants :

- L'acteur doit se mouvoir de façon très lente et très expressive.
- Il doit tourner son visage de côté pour faire apparaître son profil.
- Deux acteurs ne doivent pas passer ni se tenir l'un près de l'autre.
- Les accessoires et costumes produisent le meilleur effet lorsque leur forme est aisément identifiable et qu'ils sont un peu plus grands que la normale. Tous peuvent être réalisés en carton et donner néanmoins une impression de "vrai".

Conseil : L'enfant qui apprécie particulièrement les ombres chinoises insolites ou extravagantes laissera vraisemblablement ces règles de côté pour tirer parti de l'effet de mouvements rapides et de la superposition de silhouettes.

Abracadabra !

LA SOUPE MAGIQUE
DE CASSANDRA !

Les enfants découvriront bientôt que les ombres chinoises offrent des possibilités de spectacle tout à fait nouvelles et pleines de créativité. Les tours de magie les plus extraordinaires peuvent être exécutés derrière l'écran. En voici deux exemples :

LA SORCIÈRE AUX FOURNEAUX

Cassandra est une sorcière particulièrement douée qui prépare les meilleures potions magiques. Voici sa recette : elle jette dans une énorme marmite les ingrédients les plus divers, du sable, des cailloux, des limaces, des vers de terre et des serpents, des grenouilles, des araignées, un éclair et du tonnerre ainsi qu'un gobelet rempli d'eau. La sorcière mélange tous ces ingrédients, puis goûte sa soupe avec une grande louche. Elle y ajoute quelques herbes et finit par déguster son potage magique.

CE QUI SE PASSE DERRIÈRE L'ÉCRAN...

... Seule la sorcière le sait ! En effet, les limaces sont en papier, les vers de terre et serpents en pâte à modeler et en papier de soie torsadé, les araignées en laine ou en cure-pipe, tandis que les grenouilles sont des petits animaux en caoutchouc. L'éclair est représenté par l'éclat d'une puissante lampe de poche, le tonnerre par un roulement de tambour obtenu en frappant une louche contre le couvercle d'une casserole. Les herbes sont des petits bouts de papier, des perles, des confettis et des briques de Lego. L'eau est versée dans un récipient – invisible, placé derrière la grande marmite – dans lequel la sorcière puise la soupe qu'elle avale alors réellement. Les ingrédients peuvent bien entendu être modifiés en fonction des "(dé) goûts" de chacun ; la sorcière passe un verre devant l'écran. Son assistant obligera un spectateur à en ingurgiter le contenu. Il s'agira d'eau, évidemment !

Pour les plus jeunes enfants

LE PETIT MAGICIEN

Le petit magicien Merlinet a bien des mésaventures. Il veut réaliser des tours de magie, mais n'y arrive pas toujours. Certes, il parvient sans grande difficulté à sortir un lapin de son chapeau, mais lorsqu'il veut le faire disparaître de nouveau, une multitude d'autres en jaillissent. Il est capable de faire flotter sa baguette magique dans les airs – du moins, la plupart du temps. Mais, parfois, c'est son chapeau qui s'envole à la place ! Quel que soit le tour de magie présenté par Merlinet, on ne peut jamais être sûr que tout se passera bien, car il imagine toujours les pires farces pour faire rire son public. Merlinet invitera bientôt ses amis pour un après-midi de magie. Ils seront ébahis ! Mais, d'ici là, notre magicien en herbe doit encore s'entraîner un minimum.

CE QUI SE PASSE DERRIÈRE L'ÉCRAN...

... Seul le petit magicien peut le savoir ! Le lapin blanc qu'il sort du chapeau en carton bricolé par ses soins est un animal en peluche qu'il y aura placé auparavant. Et la multitude d'autres lapins qui jaillissent de ce chapeau sont eux aussi des peluches reliées par un fil de nylon.

Tous les objets qui disparaissent peuvent être dissimulés rapidement derrière l'ombre du magicien ou derrière un décor. Quant aux objets qui apparaissent par magie, l'assistant du magicien les lance derrière l'écran ou les expose à la lumière, suspendus à un fil de nylon attaché à un bâton, comme un poisson au bout d'une ligne. L'assistant est caché derrière le côté non éclairé de l'écran. Voici quelques autres trucs : un objet qui doit apparaître tout à coup peut être découpé préalablement dans du papier et enroulé de façon compacte autour d'un bâton, le magicien pourra alors dérouler le papier à deux doigts ; tous les objets qui doivent flotter dans l'air seront également attachés à un fil de nylon, y compris le chapeau magique, même si Merlinet le porte sur la tête au début de la représentation.

RÉBUS D'OMBRES CHINOISES

Cette technique très simple permettra aux enfants de transposer sous forme de jeux l'expérience qu'ils ont déjà acquise et de tester de nouvelles idées. Une corde à linge, un grand et large drap et un projecteur de diapositives suffiront pour constituer la scène.

Les acteurs présentent des contes, histoires, chansons, comptines ou proverbes connus, ou plus précisément une petite scène de ceux-ci. Ensuite, ils prennent place derrière l'écran où ils se tiennent immobiles pendant quelques instants. Leur ombre apparaît alors comme une silhouette immense.

LA PRÉPARATION

Deux participants ou plus sélectionnent une scène, réfléchissent à la manière de la présenter, choisissent des costumes et se dotent d'accessoires réels ou confectionnés rapidement dans du carton et du papier. Ensuite, ils s'installent derrière l'écran qui est toujours plongé dans l'obscurité. Le projecteur est alors allumé et les spectateurs voient apparaître le rébus des ombres. Parviendront-ils à deviner de quelle scène il s'agit ?

- Temps de préparation : quelques minutes
- Costumes : chutes de tissu, vieux rideaux, draps, foulards, chapeaux, vestes, ceintures, épingles de sûreté, pinces à linge
- Accessoires : vaisselle ordinaire, jouets ; pour le bricolage : papier de couleur, journaux, ciseaux, trombones, épingles, agrafeuse.

Conte : Blanche-Neige (exemple : scène de la pomme empoisonnée).

Chanson : Petit Jean, pour longtemps, s'en va loin de ses parents !

Proverbe : On a toujours besoin d'un plus petit que soi.

Comptine : Un, deux, trois, nous irons au bois ; quatre, cinq, six…

LE LIVRE D'IMAGES DES OMBRES

En procédant de la même manière, les enfants peuvent également présenter une histoire complète sous la forme d'ombres chinoises. Voici comment les choses se déroulent :

L'histoire est divisée en plusieurs scènes (voir aussi page 41). Les enfants imaginent et testent les ombres chinoises à présenter pour illustrer le texte. Ils s'entraînent ensuite pour être sûrs que le déplacement des acteurs derrière l'écran s'effectuera sans accroc.

Le théâtre d'ombres étant muet, tout comme la pantomime, un narrateur doit raconter l'histoire

pour que les spectateurs suivent correctement le déroulement de l'action. À certains moments du récit, le projecteur de diapositives est allumé et montre pendant quelques instants les ombres chinoises qui correspondent à la situation.

Quels seront les spectacles présentés ? Bien entendu, les histoires préférées des enfants, et elles ne manquent pas. Mais attention, si le récit est assez long, il conviendra de se limiter aux scènes les plus importantes.

LE TAILLEUR DE PIERRE

Voici maintenant comment introduire la notion de mouvement dans le théâtre d'ombres. Les scènes sont élaborées selon le mode décrit aux pages 41 à 43. Le mieux est que les enfants réalisent des croquis simples des tableaux prévus. Ensuite, chaque scène sera testée individuellement : les acteurs prendront place derrière l'écran et les autres, faisant office de spectateurs, leur donneront des conseils. Il se peut que les costumes, décors ou accessoires choisis initialement ne conviennent pas en fin de compte et que des idées nouvelles et meilleures soient trouvées.

L'adaptation libre d'un conte japonais, que vous trouverez ci-dessous, montre comment mettre en scène un spectacle théâtral d'ombres chinoises à partir d'une histoire spécifique. Les acteurs restant muets, comme dans une pantomime, la présence d'un narrateur est ici aussi indispensable. Il prend place devant la scène ou à côté de celle-ci et est éclairé de l'avant.

TABLEAU 1

◆ *Narration*

Il y a très très longtemps vivait un tailleur de pierre. Il travaillait avec courage, de l'aube au couchant, pour détacher du roc les plus gros morceaux de pierre. Son labeur était dur, mais il ne percevait qu'un maigre salaire. Il était néanmoins très content de lui-même et de sa vie. Un jour pourtant, les choses changèrent. Et c'est ce changement que nous allons vous narrer.

◆ *Jeu d'ombres*

Le tailleur de pierre s'attaque à la roche avec un grand pic. Les décors et accessoires sont faits de papier et de carton.

Tableau 2

◆ *Narration*

Un jour, un magnifique carrosse s'en vint à passer. "Le roi !" s'écrièrent tous les gens en se précipitant dans la rue pour ovationner leur souverain.

" Le roi a bien de la chance", grommela le tailleur de pierre, amer. "Il se déplace en carrosse et sa bourse est pleine d'écus d'or, tandis que moi, je travaille sans cesse et je n'ai jamais vu le moindre écu ! Un roi est riche et puissant. Comme j'aimerais être roi !"

Tableau 3

◆ *Narration*

À peine eut-il formulé ce souhait que le tailleur de pierre se trouva soudain transformé en roi, juché sur un cheval et suivi de sa cour. Il en fut ravi et se réjouit d'entendre tinter les pièces d'or dans son aumônière.

Mais, peu de temps après, il fut de nouveau insatisfait. Il faisait très chaud et le soleil dardait sur lui ses rayons ardents, l'obligeant à chercher de l'ombre. Il en fut très irrité. Il fit arrêter son escorte et leva les yeux vers le soleil.

" Le soleil a bien de la chance !" s'écria-t-il, "il est plus puissant et plus fort que le roi. Il l'accable de sa chaleur brûlante et aucun serviteur ni guerrier ne peut le chasser. Comme j'aimerais être le soleil !"

◆ *Jeu d'ombres*

Les enfants changent rapidement de place derrière la scène. Un nouvel acteur déguisé en roi est assis sur un cheval (cheval de bois ou modèle des pages 106-107). Deux serviteurs marchent derrière lui. Ils portent un manche de balai représentant une lance ou une bannière à longues franges, entièrement réalisée en papier, en carton ou en tissu.

◆ *Jeu d'ombres*

Les acteurs se tiennent serrés les uns contre les autres pour donner l'impression d'une foule dense et ils font des signes de la main. À l'arrière, deux enfants font avancer un carrosse dont les contours sont simplement dessinés sur du carton, puis découpés.

TABLEAU 4

◆ *Narration*

À peine le tailleur de pierre eut-il formulé ce souhait qu'il se transforma en soleil. Il voulut immédiatement tester son pouvoir et darda ses rayons les plus ardents sur la terre où l'herbe se dessécha et des feux de forêt s'allumèrent.

Mais, peu de temps après, il fut de nouveau insatisfait. Car des nuages s'amassèrent devant lui, assombrirent le ciel et firent obstacle à ses rayons. Il en fut très irrité. D'un ton rempli de colère, il s'écria alors : "Les nuages ont bien de la chance, ils sont plus forts et plus puissants que le soleil. Ils peuvent le cacher et retenir ses rayons. Comme j'aimerais être le vent et les nuages !"

◆ *Jeu d'ombres*

Le tableau est dominé par un grand soleil en carton. Les enfants poussent sur le côté de la scène des arbres en papier fixés à des bâtons, puis les renversent. La fumée du feu de forêt est produite par une boîte en fer-blanc dans laquelle des feuilles humides brûlent sur des morceaux de charbon de bois incandescents. Enfin, un gros nuage de carton est placé devant le soleil. Il est fixé par une ficelle à un long bâton qu'un enfant tient d'abord au-dessus de l'écran de manière à ce que ni lui ni la ficelle ne soient visibles pour les spectateurs.

TABLEAU 5

◆ *Narration*

À peine le tailleur de pierre eut-il formulé ce souhait qu'il se transforma en un gros nuage. Il voulut aussitôt tester sa force et sa puissance, se donna l'aspect d'une grosse masse sombre, cracha du tonnerre et des éclairs et déversa une pluie torrentielle sur la terre. Les arbres ployèrent, les cours d'eau sortirent de leur lit et le pays fut dévasté. Cette fois, le tailleur de pierre se sentit réellement fort et invincible, ce qui le combla de bonheur. Mais, peu de temps après, il fut de nouveau insatisfait. Car il se heurta à de hauts rochers qui offrirent une résistance inébranlable à la tempête et aux nuages et ne leur cédèrent pas d'un pouce. Le tailleur de pierre fut alors pris d'une vive colère et s'écria : "Les rochers ont bien de la chance, ils sont plus forts que les nuages. Leurs pics les chassent et arrêtent le vent. Comme j'aimerais être l'un de ces rochers !"

◆ *Jeu d'ombres*

Les enfants changent rapidement de place derrière la scène. Deux d'entre eux se glissent sous un grand drap et incarnent le gros nuage. Ils agitent leurs bras dans tous les sens pour montrer comment le nuage se forme et s'élargit de plus en plus. Ensuite éclate la pluie de confettis ou de petits bouts de papier lancés par des enfants qui se trouvent au bord de l'écran. Enfin, un rocher en carton (voir tableau 1) est glissé sur la scène. Le nuage tente de le repousser, mais à la fin du tableau, il se retrouve couché au bas de celui-ci.

TABLEAU 6

◆ Narration

À peine le tailleur de pierre eut-il formulé ce souhait qu'il se transforma en un gros rocher. Il réfléchit les rayons du soleil, fit rebondir les gouttes de pluie, s'opposa au vent et disloqua les nuages. Cette fois, il était réellement le plus fort, le plus puissant et le plus grand, et plus rien ni personne ne pouvait quoi que ce soit contre lui.

Mais, peu de temps après, il fut de nouveau insatisfait. Un homme arriva avec un grand marteau et un burin, détacha d'un coup énergique la pointe dure du rocher et commença à extraire d'autres blocs de pierre.

Le tailleur de pierre en fut très fâché et il s'écria d'un ton rageur : "Cet homme a bien de la chance, il est plus fort et plus puissant que le rocher et réussit là où le soleil, le vent et les nuages ont échoué. Il est tout simplement capable de mettre le rocher en morceaux ! Comme j'aimerais être un tel homme !"

◆ Jeu d'ombres

Le tailleur de pierre de la première scène arrive avec son burin et son grand marteau près du rocher en carton dont il détache la pointe. Celle-ci est simplement fixée avec un morceau d'adhésif transparent, de façon à pouvoir être enlevée facilement.

TABLEAU 7

À peine eut-il formulé ce souhait qu'il redevint le tailleur de pierre qui travaillait inlassablement et détachait les plus grosses pierres du rocher. Son travail était dur et très mal payé. Et tout était à nouveau comme avant.

Non, pas tout à fait. Le tailleur de pierre se sentait maintenant réellement fort et puissant. Il était heureux et satisfait de lui-même et de son travail.

◆ Jeu d'ombres

Même scène que dans le tableau 1.

LES OMBRES DANSANTES

Lorsque le théâtre d'ombres s'accompagne de musique, de sons rythmés ou de bruits insolites, le spectacle devient vraiment très excitant. Les enfants le constateront eux-mêmes en réalisant les scènes suivantes.

LA DANSE DU ROBOT

La tête du robot est constituée d'une boîte dans laquelle une ouverture a été ménagée pour permettre au comédien de distinguer son environnement (voir page 106 pour la réalisation des masques). S'il reste de la place au-dessus de cet orifice, on peut également découper deux trous pour les yeux et une grande fenêtre sur la partie opposée de la boîte. De cette façon, la lumière pourra venir de l'arrière. Le robot possède maintenant deux grands yeux brillants sur lesquels il est possible de coller une feuille de papier transparent de couleur.

Le déguisement de l'acteur est une "armure" de carton ondulé fixée par des bretelles. Les mouvements de danse du robot sont saccadés et maladroits, comme ceux des personnages de jouets à remonter (voir page 85). Et surtout : ils doivent être lents pour que les spectateurs puissent les identifier avec précision.

Quelques autres participants jouent du tambour, du triangle, des mini-cymbales, des castagnettes et d'autres instruments sur un rythme constant. Celui qui n'a pas d'instruments à sa disposition peut aussi constituer un "petit orchestre de cuisine" : le gong de poêles, les cymbales de casseroles, les castagnettes de cuillers en bois.

LA PETITE BALLERINE

Peut-être certains enfants du groupe ont-ils suivi des cours de danse classique et aimeraient-ils faire

la démonstration de leur talent. En guise de costume, les danseurs et danseuses portent autour des hanches un morceau de tulle ou d'une autre étoffe transparente maintenue en place par une ceinture. Dans le spectacle d'ombres chinoises, ce déguisement apparaît comme un costume de danse magnifique. La musique est produite par un magnétophone et les pas de danse sont inventés par les artistes eux-mêmes.

MARIONNETTE DANSANTE

D'autres enfants auront peut-être envie de présenter quelques danses gaies et insolites. Pourquoi pas des danses de guignol ? Un pantin qui dodeline de la tête, balance les bras, lève le pied en faisant bouger ses orteils, voltige avec les mains comme un oiseau, agite le derrière à droite, puis à gauche… – et tire même la langue ou se frappe le front du doigt.

Pour cette danse, il n'est pas nécessaire d'avoir suivi des cours de chorégraphie, il suffit d'aimer sautiller et gigoter. Mais, une fois encore, la règle d'or est la suivante : ne pas accomplir les mouvements trop vite pour que les spectateurs puissent en apprécier tous les détails ! Des chansons d'enfants amusantes telles que "Gugusse" et "Les marches du palais" constituent un fond musical idéal.

Pour les enfants plus âgés

UN SPECTACLE FOU, FOU, FOU !

Quelle horreur ! Un coiffeur coupe les cheveux de son client par touffes avec des ciseaux gigantesques et un bruit de scie abominable.

Rien de plus simple : les ciseaux sont en carton, les touffes de cheveux en raphia sont fixées avec des pinces que le coiffeur n'a plus qu'à enlever. Le bruit de scie est produit par les participants qui ont constitué à cet effet un "orchestre de cuisine". Toutefois, les bruits peuvent aussi être "vrais" : il suffit alors de les enregistrer préalablement. Les ombres de ce type ne sont pas pour les âmes sensibles, mais elles séduiront les enfants plus âgés. Plus l'idée est folle, plus elle plaît ! Les situations les plus diverses peuvent ainsi être présentées avec des bruits insolites : un dentiste qui traite son patient avec le vacarme d'un aspirateur, un jardinier qui coupe des fleurs et fait entendre à chaque pas le son tonitruant d'un gong. Le docteur Maboul extrait du ventre de son patient un objet monstrueux au rythme d'un robot ménager.

DES OMBRES MYSTÉRIEUSES

Pour les enfants plus âgés

Ces ombres chinoises laisseront les spectateurs sans voix ! Ils n'en croiront pas leurs yeux lorsqu'apparaîtra devant eux une ombre à six bras. Spectacle fascinant et ô combien excitant ! Et exercice tout aussi passionnant pour les comédiens. C'est d'ailleurs là que réside le charme de ce divertissement : l'impossible devient possible !

LE SECRET DU DANSEUR DU TEMPLE

Trois actrices se tiennent derrière l'écran. La plus petite se trouve devant, la plus grande derrière et la troisième entre les deux. La première étend les bras à 45°, la deuxième à l'horizontale et la dernière à 120°. Chacune ne pourra donc se mouvoir que sur un faible espace si l'on veut éviter que les bras se mélangent. Le spectacle sera très joli si les mouvements sont harmonieux, souples et adaptés au rythme de la musique. Le mieux est de choisir un air de danse aux sons étranges, par exemple une musique asiatique. La figure du temple n'en paraîtra que plus véridique.

Le costume des fillettes se compose d'une tunique et la plus grande porte en plus un couvre-chef extravagant, car seule sa tête apparaît sur l'écran.

Des garçons préféreront sans doute évoquer un monstre marin, un fantôme… Peut-être les enfants auront-ils aussi envie d'inventer une histoire autour de ce personnage…

L'OMBRE DOUBLE

Un seul acteur est en scène. Son ombre est simplement dédoublée, car deux projecteurs de diapositives éclairent l'écran de différents côtés. Il est également possible de produire de cette manière trois ombres ou plus, pour autant que l'on dispose de sources lumineuses en nombre suffisant. L'effet magique est exceptionnel si les projecteurs sont en plus recouverts d'une feuille transparente de couleur (voir page suivante).

L'acteur doit faire des mouvements extrêmement simples et lents pour que les spectateurs puissent comprendre la signification des ombres et pour éviter que tout se bouscule sur l'écran.

Cette technique des ombres chinoises se prête parfaitement bien à la représentation d'histoires féeriques et fantastiques. Ainsi, l'ombre du héros peut être vendue, ensorcelée ou échangée dans le cadre d'un pacte mystérieux avec le diable.

Bien entendu, ces histoires enchantent surtout les enfants plus âgés. Elles conviennent moins bien aux plus petits qui risquent de prendre peur devant ces ombres sinistres.

LE JEU DES COULEURS

Ces ombres de couleur sont assez particulières, mais très simples à réaliser : il suffit de placer une feuille de couleur devant le projecteur de diapositives. Les enfants découpent à cet effet un support en carton carré, pratiquent un orifice circulaire en son centre et collent la feuille transparente de couleur sur celui-ci. Ils ajouteront enfin un petit support de carton rigide. Il est conseillé de préparer d'emblée plusieurs filtres de couleur différente qui, une fois superposés, donneront un éventail infini de nuances.

Autre opération tout aussi simple : insérer une petite feuille de couleur dans le cache d'une diapositive, ou coller du papier transparent de couleur sur une des lames de verre ou encore peindre directement celles-ci avec une peinture sur verre indélébile. Le résultat est particulièrement intéressant lorsque chaque projecteur reçoit une couleur différente, ce qui permet d'obtenir des ombres bigarrées.

Une seule règle : faire des essais !

Et si les enfants souhaitent tenter de nouvelles expériences, ils pourront aussi :

- déplacer très lentement les feuilles de couleur,
- ou verser progressivement quelques gouttes d'encre de couleur et une goutte de détergent sur le verre d'une diapositive, y superposer un deuxième verre qu'ils colleront au premier par un ruban adhésif. L'opération sera plus facile avec une diapositive à cache articulé.

LE MONDE MERVEILLEUX DES OMBRES

Dans les deux pages précédentes, nous avons vu comment faire apparaître des ombres de couleur à l'écran. Si les enfants prennent plaisir à ce genre d'expériences, ils peuvent également produire d'autres images magnifiques : des petites choses de la vie de tous les jours et de la nature qui se transformeront à l'écran en un monde magique. Les enfants seront ébahis et auront même peine à reconnaître certains éléments.

Ces images peuvent être utilisées dans le cadre de diverses pièces de théâtre, soit pour la projection d'ombres chinoises proprement dites, soit comme décor pour un conte, soit, dans une pantomime, comme une ombre projetée de l'avant sur les acteurs pour produire des effets insolites.

DES OBJETS ORDINAIRES POUR UN EFFET EXTRAORDINAIRE

Ces images magiques peuvent voir le jour de diverses manières :

- Divers objets sont insérés dans la monture de la diapositive, par exemple des bouts de tissu fins et étroits, de la ouate effilochée, du papier de soie, du papier transparent froissé, du tulle, du tissu pour rideau, de la toile ou du treillis métallique.
- Si vous disposez de caches articulés, vous pouvez placer divers matériaux entre les deux lames de verre, par exemple de l'herbe, des cheveux, de la mousse, de la terre, des épices, des feuilles, des pétales, des papiers de tout type, des grains de sel ou de sucre, des feuilles de thé ou du café en poudre.

- Des diapositives surexposées et déjà encadrées peuvent être tout simplement recouvertes de peluches, de petits bouts de tissu ou de papier.
- On obtient également un effet intéressant en rassemblant des matériaux différents pour former un patchwork très artistique.
- Vous pouvez recouvrir la feuille de couleur ou le verre de la diapositive de petits bouts de papier éparpillés, en veillant à ce que leurs angles se superposent.

LES GÉNIES DE LA NATURE ENTRENT EN PISTE

Les enfants aimeront sûrement concevoir des ombres chinoises pleines de fantaisie, simplement pour s'amuser et sans penser immédiatement à en faire une représentation théâtrale. Toutefois, l'enthousiasme du groupe peut être tel qu'à partir de cette activité spontanée, se crée un spectacle de théâtre intéressant.

LES GNOMES

Ils portent des perruques ébouriffées, entremêlées de feuilles et de branchages (voir pages 142-143), ressemblent à des nains et se glissent de préférence dans les hautes herbes, pratiquement invisibles…

L'image : une diapositive représentant des herbes et de la mousse éventuellement collées sur du papier transparent brun.

LES ESPRITS DU FEU

Ils dansent avec des jupes tourbillonnantes, constituées de bandes de papier transparent rouge.

L'image : une diapositive sur laquelle sont collées des plumes rouges.

LE ROI DE L'OCÉAN

Il possède des cheveux bouclés et ébouriffés (pour la perruque, voir pages 142-143), un manteau transparent en tissu à mailles larges auquel pendent des poissons en papier, des plantes aquatiques faites de mousse ou d'herbe. Le génie des eaux se meut au rythme des vagues. Ces dernières sont de longues et larges bandes de tissu, des films de plastique ou de papier crépon que les assistants font monter et descendre à gauche et à droite de la scène.

L'image : une feuille transparente bleue sur laquelle sont collées des bandes étroites et ondulées et qui est agitée vers le haut et vers le bas devant la source de lumière. Et à quoi ressembleront les génies du ciel ? C'est au groupe qu'il revient maintenant d'y penser.

Le pêcheur et la sirène

PERSONNAGES : le pêcheur, la sirène, le roi de l'océan et le narrateur

L'histoire est lue par un narrateur qui se tient debout à côté de l'écran. Ce dernier est encore plongé dans l'obscurité (voir page 118 pour la construction de la scène).

Il était une fois un pêcheur qui vivait dans une cabane misérable au bord de l'océan. Il prenait la mer chaque jour pour y lancer ses filets.

La lumière s'allume derrière l'écran, la surface mouvante de l'eau apparaît (voir page 137). Des poissons attachés à de minces fils de nylon (voir page 123) évoluent gaiement dans l'eau. Le pêcheur assis dans un bateau de carton actionne des rames constituées de tubes eux aussi en carton. Le filet est représenté par un morceau de rideau à larges mailles.

Parfois, la pêche était bonne, mais généralement ses prises étaient minimes. Un jour, alors qu'il voulait remonter son filet, il eut toutes les peines du monde à le hisser dans le bateau tant il était lourd. Il crut avoir pêché un gros poisson.

On voit les efforts accomplis par le pêcheur pour ramener le filet. La sirène n'apparaît pas encore, elle se tient en deçà de l'écran, prête à faire son entrée.

Le pêcheur se réjouit à haute voix : "Il faut que ce soit un gros poisson pour qu'il pèse si lourd et frétille autant. J'en tirerai sûrement un très bon prix qui me permettra de remplacer le toit de ma cabane. Enfin, il n'y pleuvra plus à l'intérieur. Peut-être même pourrai-je m'acheter une belle gravure pour que la maison soit moins triste."

Lorsque le pêcheur arriva enfin à hisser le filet sur son bateau, il constata qu'il ne renfermait pas de poisson, mais bien une petite sirène aux longs cheveux.

La sirène fait maintenant son apparition. Elle porte une perruque en raphia qui lui descend jusqu'aux hanches (voir pages 142-143) et une queue en carton dans laquelle sont découpées quelques écailles. Comme son corps est sanglé dans ce costume, elle ne peut mouvoir que ses bras.

Le pêcheur fut pris d'une telle peur qu'il faillit lâcher le filet. Mais il finit par se ressaisir et décida de ramener la merveilleuse sirène chez lui. Celle-ci se débattit et le supplia : "Laisse-moi partir ! Je suis la fille du roi de l'océan. Pour te récompenser, il te couvrira d'or et de perles !"
"L'or et les perles sont tentants !" pensa le pêcheur, "mais la petite sirène me plaît encore davantage que tous les trésors de l'océan. Quelle belle vie je connaîtrai maintenant avec elle à mes côtés." Et c'est ainsi qu'il l'emmena sur son bateau et regagna sa cabane.

La lumière s'éteint et, en faisant le moins de bruit possible, les participants montent la deuxième scène : une petite cabane avec des murs bas en carton parsemés de trous et de fissures, la fenêtre de travers... la pièce doit paraître très pauvre et ne peut occuper plus de la moitié de l'écran.

Il la porta à l'intérieur de la cabane et lui donna une grande bassine remplie d'eau pour qu'elle se sente bien auprès de lui. Mais la sirène était triste. Elle avait la nostalgie du vaste océan et chantait des airs étranges et mélancoliques. Le pêcheur, lui, était heureux comme il ne l'avait jamais été durant toute sa vie. Il accomplissait son travail d'un cœur léger.

Il répara tout d'abord son toit, puis les murs de sa cabane. "C'est un jeu d'enfant !" pensait-il, "comme la sirène va être bien."

Le pêcheur s'affaire avec une scie et un marteau devant la cabane. On le voit fixer des lattes sur le toit et boucher les fissures et les trous dans le mur.

Le soir venu, alors qu'il était parvenu à réparer les dégâts de toute une année, il sursauta en entendant un terrible fracas. Le roi de l'océan apparut devant la cabane, à la recherche de sa fille. Il avait en effet retrouvé la trace du pêcheur.

Le roi de l'océan fait son apparition (pour la description, voir page 137). Pour mettre en évidence sa grande taille et sa puissance, il doit se placer un peu plus près de la source de lumière que le pêcheur (voir pages 140-141). De son grand manteau émerge une longue queue. Des vagues puissantes déferlent autour de lui (voir page 137).

"Rends-moi ma fille !" vociféra-t-il, tandis que des vagues déchaînées s'abattaient sur la cabane. "Rends-moi ma fille !" Le pêcheur fut saisi de peur. Le cœur gros, il fit sortir la sirène de sa cabane et lui rendit sa liberté. Elle plongea prestement dans les flots et, sans se retourner, disparut avec son père dans les profondeurs de l'océan.

Le pêcheur porte la sirène hors de la cabane. Les vagues sont maintenant devenues très violentes ; la sirène et le roi de l'océan disparaissent de la scène. Le pêcheur reste là, tête baissée. Le faisceau de lumière est progressivement occulté avec un morceau d'étoffe avant de s'éteindre totalement.

Derrière la scène, les acteurs préparent rapidement le tableau suivant.

Le pêcheur se retrouvait seul et la sirène lui manquait beaucoup.

Finalement, il se décida à repartir sur l'océan où il lança ses filets dans l'espoir de capturer à nouveau cette merveilleuse créature. Ce ne fut pas le cas, mais en revanche, il fit une pêche miraculeuse : ses filets étaient pleins à craquer. Et il en fut de même tous les jours. Mais jamais, il ne retrouva la sirène.

Lorsque la lumière se rallume, nous voyons le pêcheur ramer sur l'océan, comme pendant la première scène. Il lance son filet et les poissons affluent de partout. Quelques enfants lancent une multitude de poissons en carton dans le filet.

Toutefois, les jours de grand calme, il entendait sa voix au-dessus de l'eau. Il arrêtait alors de travailler pour écouter, ému, son chant étrange et magnifique.

Le pêcheur est assis dans son bateau et écoute. À la fin, la lumière est progressivement occultée avec une étoffe de couleur avant d'être éteinte entièrement.

Une remarque à propos de la musique : l'effet des ombres chinoises sera particulièrement renforcé s'il s'accompagne du clapotis des vagues, tantôt plus fort, tantôt plus faible. Le bruit de la scie et du marteau ainsi que le chant de la petite sirène pourraient également être reproduits sur des cassettes enregistrées préalablement par les enfants.

INCROYABLE ?

Mais non ! Les jeux d'ombres donnent lieu à de véritables miracles et permettent de projeter de merveilleux symboles : une main gigantesque place une cloche au-dessus du Petit Poucet, afin de le retenir prisonnier. L'esprit dans la bouteille tempête dans sa prison de verre jusqu'à ce que quelqu'un le libère. Mais alors, il grandit, grandit et devient tellement immense que son ventre occulte totalement l'image. Des monstres à cinq pattes grimpent le long de l'écran. Un magicien sans scrupules rétrécit les enfants jusqu'à ce que ceux-ci aient la taille d'une souris et, bien sûr, le chat tente – mais en vain – de les attraper !

Comme vous allez le constater par la suite, rien, absolument rien n'est impossible au "royaume des ombres". Et nous allons vous expliquer tous les trucs permettant de représenter les situations les plus invraisemblables. Plaisir géant garanti !

L'ESPRIT DANS LA BOUTEILLE

Un enfant tient une bouteille en verre transparent juste devant la source lumineuse de manière à projeter une grande ombre sur l'écran. Un acteur déguisé en esprit de la bouteille est assis ou debout juste devant celui-ci : il doit se trouver parfaitement à l'intérieur de l'ombre, afin que les spectateurs aient l'impression qu'il a été capturé par la bouteille. Il peut maintenant gesticuler, tempêter et faire des gestes menaçants. Une fois libéré, il se déplace sur le rayon lumineux à petits pas à peine perceptibles et devient de plus en plus grand. Plus il approche du projecteur, plus son ombre se déploie sur l'écran. L'acteur peut grandir et rétrécir à volonté, il lui suffit à cet effet de s'approcher ou de s'éloigner de la source de lumière. Pour la scène avec le magicien, le chat est joué par un comédien masqué qui se tient à proximité de la source lumineuse et agrippe avec sa main recourbée en forme de patte griffue les enfants situés, eux, très près de l'écran.

LE PETIT POUCET ET LA MAIN GIGANTESQUE

L'acteur jouant le Petit Poucet est assis tout près de l'écran. Le géant place sa main juste devant le rayon lumineux du projecteur. Celle-ci semble vraiment énorme et c'est pour elle un jeu d'enfant d'emprisonner le Petit Poucet sous une cloche de verre. Il s'agit en fait d'une cloche à fromage ou d'une bouteille de vin ventrue et colorée.

LE MONSTRE À CINQ PATTES

Un acteur place sa main juste devant la source de lumière et la déplace de manière à ce qu'elle apparaisse comme un monstre sur l'écran. Si vous le souhaitez, vous pouvez lui donner une fourrure en collant du raphia ou du lin entre vos doigts ou en enroulant des rubans, des boucles, des colliers de perles par exemple, autour de votre poignet. Et votre monstre sera vraiment horrible !

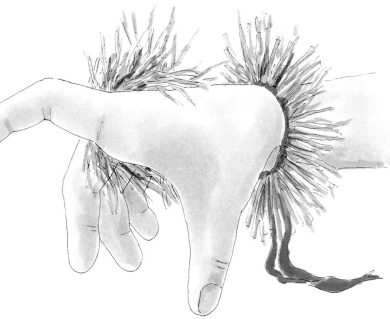

L'AVALEUR DE SABRES ET LE CRACHEUR DE FEU

Découpez un sabre dans du carton. Si l'acteur passe celui-ci devant sa bouche, ou plus précisément devant son visage renversé en arrière, les spectateurs auront l'impression que l'artiste avale réellement le sabre.

Le cracheur de feu joue avec une torche réalisée dans du papier et du carton. Naturellement, il ne l'amène pas jusqu'à sa bouche, mais la passe devant son visage. Les spectateurs seront bernés. Comment le saltimbanque parvient-il à cracher du feu ? En fait, il crache de l'eau qu'il a conservée dans la bouche depuis le début de la représentation.

Mais il peut également s'agir d'une langue de feu taillée dans une feuille de papier de couleur, qu'un assistant amène dans la lumière suspendue à un fil de nylon au bout d'une perche (voir page 123).

Et comment exploiter ces tours d'adresse ? On peut par exemple les intégrer dans des histoires de sorcières et des contes de fées ou dans de passionnantes histoires fantastiques que les enfants adorent adapter sous forme de pièces de théâtre et qui les tiennent en haleine. Vous pouvez également les employer dans l'histoire des "monstres" qui commettent impunément leurs forfaits à la page suivante.

LES MONSTRES

5 acteurs se cachent derrière l'écran. Ils ont les cheveux en bataille, sont forts comme des Turcs et immensément grands. Si grands que l'on ne voit que la moitié supérieure de leur corps à l'écran, l'autre moitié disparaissant sous celui-ci. Le roi est le plus petit d'entre eux. Lorsqu'il entre en scène, les monstres se montrent très gentils et obéissent uniquement à ses ordres.

LA PERRUQUE ÉBOURIFFÉE

La forme de base est réalisée en raphia. Mais pour se distinguer les uns des autres, les acteurs possèdent chacun un détail différent dans leur chevelure : qui de la mousse ou des brins de paille, qui de petites branches ou des boulettes de papier, qui de grandes feuilles ou des étoiles en papier et qui des guirlandes ou de petites ombrelles servant à décorer les glaces. Bref, des objets que l'on peut trouver dans la nature ou dans la boîte à bricolage. Il suffit de les attacher à un fil ou de les lier ensemble, puis de les coudre solidement sur la perruque ou de les y fixer avec du ruban adhésif.

Pour la perruque elle-même, découpez de nombreux brins de raphia à la même longueur, puis regroupez-les en deux grosses poignées que vous croiserez et lierez au centre. Attention : ne coupez pas les deux extrémités de la ficelle, car elles serviront à attacher la perruque sous le menton.

La longueur des cheveux dépend de celle des brins de raphia. Si vous les coupez court, vous obtiendrez une jolie petite coiffure, mais de longs cheveux ébouriffés conviendront mieux aux monstres. L'acteur pose sur sa tête la perruque presque terminée et découpe une frange sur son front, de manière à ce que cet accessoire particulier ne l'empêche pas de voir correctement.

Si vous le souhaitez, vous pouvez coudre la perruque sur un bonnet de laine ou la coller sur un

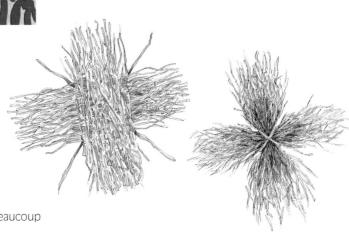

vieux bonnet de bain et elle tiendra beaucoup mieux ainsi.

LE DÉGUISEMENT

Les monstres portent des pull-overs ou des vestes sur lesquels ils ont cousu – ou collé avec du ruban adhésif double face – divers objets en accord avec les perruques décorées, par exemple des petites branches, des feuilles, des étoiles en papier et, pourquoi pas, des guirlandes multicolores.

Le roi des monstres porte sur les épaules un manteau taillé dans du tissu à rideau transparent et parsemé d'étoiles. Sa tête est ornée d'une couronne en papier et il brandit fièrement un sceptre réalisé à partir d'un rouleau de carton.

LE JEU

Les monstres sont grands et se tiennent en arrière, à proximité de la source de lumière (page 141), de façon à ce que seul le haut de leur corps apparaisse à l'écran. Le petit roi se place devant, près de l'écran. Dans un premier temps, les enfants répètent et décident de la façon de se déplacer, de s'adresser l'un à l'autre, d'entrer en scène, de se tenir éventuellement la main, etc. Dès qu'ils ne penseront plus à la pièce de théâtre à interpréter, mais qu'ils feront du bruit et des blagues… ce sera dans la poche. Le petit roi doit même patienter un peu avant que ses grands monstres se calment et que le jeu puisse se poursuivre. Une seule chose compte : les enfants doivent prendre du plaisir à jouer !

Et que joue-t-on ? Les histoires de monstres sont nombreuses (celles de Maurice Sendak ou de Tomi Ungerer, par exemple), ou encore des histoires inventées par les enfants, pour lesquelles ils utilisent les tours d'adresse décrits dans cet ouvrage.

LUMIÈRE NOIRE

ET OMBRES BLANCHES

Dans ce cas, les acteurs n'utilisent plus de véritables objets ! La lumière est noire et les ombres sont blanches. Des pieds sans jambes dansent et des mains sans bras font des signes. Des pantalons se déplacent et des chapeaux volent. Le truc est tout simple : une lampe diffusant de la lumière noire (dite "lampe à lumière de Wood") transforme la scène en un paysage d'images blanches, car ce type d'éclairage fait uniquement apparaître ce qui est blanc. Tout le reste est totalement invisible dans la pièce plongée dans l'obscurité.

Vous pouvez acheter des lampes à lumière de Wood ou à tubes fluorescents dans des magasins d'appareillage électrique, mais il est également possible de les louer.

LA SCÈNE

Au début, il suffit d'éclairer un coin de la pièce à l'aide d'une lampe à lumière de Wood. La salle doit être aussi sombre que possible, mais on peut bien sûr placer dans un coin une lampe diffusant une faible lumière pour rassurer les petits craintifs. Les enfants qui ne se sentent pas très à l'aise pourront ainsi se réfugier près d'elle. Le théâtre en lumière noire sera encore plus réussi si les parois de la scène sont tendues de tissu… noir. Des pinces à linge et des agrafes permettront d'en tendre partout. Les acteurs exigeants recommandent le velours noir pour le décor.

Si vous souhaitez une scène particulièrement bien adaptée à cette activité particulière, vous pouvez fabriquer un véritable théâtre à l'aide d'un cadre en bois ou de tubes métalliques s'emboîtant comme ceux d'une tente, que vous recouvrirez ensuite de velours noir. Cette scène doit être suffisamment grande pour que les enfants puissent y évoluer et jouer normalement.

Conseil : Vous pouvez, devant la scène, placer une lampe qui diffusera une faible lumière en direction du public. Par contraste, la scène paraîtra ainsi d'un noir encore plus profond et le spectateur n'y verra vraiment plus rien… que le blanc.

PREMIERS JEUX

La scène du théâtre en lumière noire est montée. Les enfants regardent autour d'eux. Que parvient-on à distinguer et qu'est-ce qui reste invisible ? La chemise de Bruno est étincelante, on distingue les baskets de Julie, tandis qu'Élise saute avec des chaussettes blanches.

Comme par magie, Daniel sort de la poche de son pantalon un mouchoir blanc dans lequel il se mouche ! C'est tellement comique que Judith et Mathieu éclatent de rire et leurs dents blanches scintillent alors dans l'obscurité comme celles d'un fantôme.

Ces premières expériences passionnent les enfants qui testent tout ce qu'il est possible de représenter grâce à cette technique : une feuille de papier voltige au-dessus du sol, un coussin vole dans les airs, un chapeau de soleil blanc bondit sur la scène – c'est Johann qui avance à grands sauts en portant ce couvre-chef –, tandis que Bruno "sème" derrière lui des balles de tennis blanches.

ÊTRE L'HOMME INVISIBLE !

Voilà le rêve de nombreux enfants ! Et grâce à ce type d'expression théâtrale, ils pourront ressentir les émotions du fameux "homme invisible". Ils commencent par s'habiller de noir de la tête aux pieds : pull-over, pantalon, chaussettes et chaussures. Seuls les visages restent visibles. Cela n'est pas gênant au début, d'autant que les jeunes acteurs auront davantage confiance en eux s'ils peuvent encore voir les autres.

Au centre de la pièce se trouve une caisse sombre contenant des costumes et accessoires blancs. Peu à peu, chaque acteur prend quelque chose pour se déguiser. Et bientôt, des jambes de pantalon et des T-shirts dansent, tandis qu'une chaussette tente d'en attraper une autre et que deux gants flottent main dans la main à travers la pièce...

Mais qu'est-ce que c'est ? Deux grandes chaussettes se promènent bien haut dans les airs ? Un acteur les a enfilées sur ses avant-bras.

La musique invite tous les pantalons, chaussettes et chemises à la danse. À la fin de la représentation, les pièces de déguisement disparaissent dans le coffre et les acteurs sont à nouveau complètement invisibles.

HISTOIRES DE FANTÔMES

Lorsque les enfants auront fait diverses expériences avec la lumière noire, ils désireront probablement mettre en scène de petits sketches. Voici quelques suggestions à ce propos. Et pour que le visage des acteurs soit invisible, il suffit de le recouvrir d'un morceau de tissu noir transparent, par exemple du tulle, ou de peindre un maquillage noir et de porter des lunettes de soleil.

MAINS DANSANTES...

Les enfants enfilent des chaussettes et des gants blancs ou se maquillent pieds et mains en blanc. Ils cachent ensuite entièrement leurs mains derrière le dos et recouvrent leurs pieds de morceaux de tissu noirs. La musique démarre et peu à peu les mains blanches apparaissent, dansent les unes avec les autres, exécutent des mouvements circulaires, se balancent, applaudissent et font tout ce qui passe par la tête des comédiens. L'effet sera des plus réussis si tous les enfants effectuent simultanément les mêmes mouvements qu'ils auront au préalable décidés et quelque peu répétés.

... ET PIEDS DANSANTS

À présent, les pieds se débarrassent des morceaux de tissu noirs et accompagnent les mains dans leur danse. Ils trottinent de-ci de-là, trépignent ou sautent en l'air. Si les enfants le souhaitent, ils peuvent également imaginer une chorégraphie pour les pieds.

Une idée pour la fin : Tous les danseurs forment un cercle et se tiennent par la main. L'effet est très impressionnant. À la fin, la lumière noire s'éteint.

MERVEILLEUSES SILHOUETTES

Dans le théâtre en lumière noire, les enfants peuvent mettre en scène les silhouettes les plus bizarres ou comiques. Des déguisements en carton peuvent alors venir compléter les costumes blancs : chapeaux, masques, perruques, le tout naturellement confectionné dans du carton blanc. Il est également possible de peindre des motifs blancs sur des costumes noirs, par exemple des lignes, des formes, des visages, des plantes ou des animaux.

Sachez que les tissus et papiers fluorescents apparaissent aussi dans la lumière noire et qu'il existe des maquillages fluorescents réagissant de la même manière.

Les possibilités de création pour les costumes, accessoires, décors et masques sont donc illimitées. Que les enfants laissent libre cours à leur imagination !

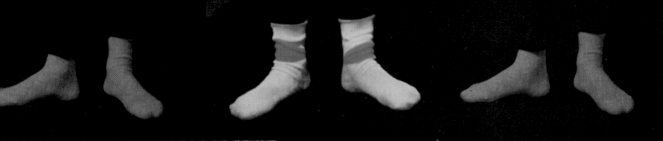

6
CONSEILS
POUR LA REPRÉSENTATION

Comment faire sur scène pour ne pas être paralysé, pour ne pas mourir de trac et oublier son texte ? Il faut rassurer les enfants, leur rappeler qu'ils ne passent pas un examen, qu'ils sont là pour s'amuser et faire plaisir aux autres.

Ce chapitre donne des idées de jeux pour se détendre avant la représentation et quelques conseils pour les préparatifs.

SCÈNES DE THÉÂTRE

Dans les chapitres précédents, nous avons fourni un certain nombre d'indications sur les scènes de théâtre ou les aires de jeu, en fonction des différents spectacles à monter.
Voici à présent quelques conseils supplémentaires d'ordre plus général.

AIRES DE JEU

Pour les enfants, il est crucial que l'aire de jeu soit clairement délimitée. Cela leur procure un sentiment de sécurité et les acteurs savent jusqu'où ils peuvent se déplacer et où les spectateurs se tiennent exactement.

Le périmètre de la "scène" peut ainsi être marqué par de la ficelle, un trait de craie ou une série de petits cailloux. Il peut également s'avérer intéressant de recouvrir la scène de sciure humidifiée, de feuilles d'automne, de sable ou de copeaux de liège.

DÉCORS

Ils fournissent à l'acteur une "couverture arrière" et délimitent simultanément l'étendue de la scène. Pour ce faire, confectionnez des "murs" en empilant de gros cartons d'emballage ou en suspendant des rideaux, des bandes de tissu, des rouleaux de papier crépon ou d'emballage.
Les décors peuvent apparaître simples et modestes, ou être peints de multiples couleurs et décorés de guirlandes "maison" ou de bandes de papier crépon. Vous pouvez aussi découper dans du papier ou du tissu de petits motifs inspirés de la pièce et les fixer sur les parois, par exemple de nombreux poissons et autres animaux sous-marins pour "Le pêcheur et la sirène".

A L'INTÉRIEUR, A L'EXTÉRIEUR

Une pièce de théâtre peut se jouer n'importe où : sur une grande scène ou dans le coin d'une pièce, dans la cage d'escalier, le local du club, le jardin, une prairie, au terrain de jeu, à la lisière de la forêt, devant un vieux mur ou un bâtiment en ruine et, si la place le permet, à la cave ou au grenier. Il convient toujours de bien veiller à la répartition des différentes zones de l'aire de jeu, en l'occurrence la scène proprement dite et la surface où se tiendra le public. La scène peut se situer uniquement d'un côté ou au milieu de la pièce, occuper deux endroits distincts ou davantage, voire se trouver dans plusieurs pièces à la fois.

JEUX DE LUMIÈRE

La scène doit être correctement éclairée. La meilleure solution consiste à employer deux projecteurs, qui éclairent la scène en diagonale à partir de la gauche et de la droite, de façon à ce que les comédiens ne soient pas éblouis. À défaut de véritables projecteurs de théâtre, vous pouvez par exemple utiliser de vieux phares de voiture.

Des jeux de lumière particuliers peuvent en outre s'avérer intéressants pour des représentations spécifiques. L'ensemble de la scène peut être éclairé très faiblement, mais de petits "projecteurs", en l'occurrence des lampes de bureau ou de puissantes lampes de poche, éclairent certains détails : des parties du décor, un accessoire, le visage d'un acteur ou quelque chose d'inhabituel à l'arrière-plan.

En outre, l'art et la manière dont la lumière "tombe" sur les comédiens crée des ambiances particulières : si l'acteur est éclairé par l'arrière, il donne l'impression d'une apparition mystérieuse entourée d'un halo lumineux. Si un projecteur l'illumine à partir du sol, il fera une entrée plutôt inquiétante. De même, une source lumineuse tombant verticalement sur le comédien crée des ombres spéciales sur son visage. Enfin, vous pourrez obtenir des effets supplémentaires en recouvrant les projecteurs de transparents colorés (voir page 135 pour plus de détails sur cette technique).

ACCOMPAGNEMENT SONORE

À plusieurs reprises au fil de cet ouvrage, nous avons évoqué la manière dont les comédiens pouvaient employer musique, bruits et sons dans leur pièce de théâtre : bruits de vagues pour un voyage en bateau (voir page 139), musique de fête au château du roi (voir page 49) ou éclairs et tonnerre pour une histoire de fantômes (voir pages 62-63).

Pendant la représentation, les enfants peuvent produire eux-mêmes la musique et les bruits requis à l'aide de divers instruments, mais la totalité de l'accompagnement sonore peut aussi être enregistrée préalablement sur cassette. Voici à ce propos quelques trucs utilisés par les professionnels :

- Pluie : laisser tomber des pois secs sur une plaque de four.
- Bruit de sabots : frapper le sol avec deux moitiés de noix de coco, face ouverte orientée vers le bas.
- Vent : souffler au-dessus du goulot d'une bouteille.
- Feu : chiffonner et frotter du papier de cellophane.
- Entrechoquer des débris : remplir une boîte en fer-blanc de débris et la secouer.
- Pour d'autres bruits, comme l'alarme d'une voiture, des pas dans un escalier, un train au départ, des communications dans une gare, la sonnette d'un vélo, le son de clochettes, etc., il est préférable que les enfants procèdent à l'enregistrement des bruits réels dans les lieux adéquats.

DÉCORS ET ACCESSOIRES

Au cours des chapitres précédents, nous avons décrit divers décors et accessoires, utilisés pour des pièces de théâtre spécifiques. Nous ne fournirons ici que quelques indications pratiques, convenant à tous les types de représentations.

AVEC DES CAGEOTS À FRUITS

Les enfants empilent eux-mêmes des caisses à fruits ou à bouteilles de vin, de manière à ce que leur fond représente une paroi arrière en bois.

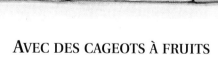

Vous pouvez la conserver en apparence naturelle, la peindre ou la recouvrir de tissu ou de papier.

AVEC DES CARTONS DE DÉMÉNAGEMENT

Vous pouvez également empiler des cartons fermés les uns sur les autres et les peindre. L'astuce suivante s'avère particulièrement utile dans ce cas : comme dans un puzzle d'enfant en cubes de bois, peignez quatre côtés du carton avec un motif différent, de telle sorte qu'il suffise à chaque changement de scène de tourner le carton d'un quart de tour pour obtenir un nouveau décor.

PEINTURE SUR DÉCOR

Encore un petit truc facile à appliquer : les enfants fixent d'abord sur le mur de larges bandes de papier et les utilisent comme écran pour un projecteur de diapositives. Une image est ensuite projetée sur cet écran et les petits artistes n'ont plus qu'à reproduire les lignes et surfaces selon l'image représentée. De cette manière, même les enfants dont le coup de pinceau n'est pas encore très sûr pourront réaliser les plus magnifiques tableaux : paysages, portes, escaliers, jardins, maisons, arbres, châteaux, chambres, cabanes…

DÉCOR DE FOND DE SCÈNE

Il est également possible d'utiliser comme décor de fond de scène une diapositive projetée sur l'écran à partir des coulisses ou de la salle (voir pages 134 à 137 pour plus de renseignements à ce propos).

DÉCORS EN CARTON

Des formes simples, comme des fenêtres, des portes, des paysages ou des arbres, peuvent facilement être découpées dans du carton ou du papier et fixées sur les parois des décors au moyen d'agrafes ou d'épingles de sûreté.

IMAGES EN MOUVEMENT

Comment procéder lorsque la scène est de taille réduite, mais que le scénario prévoit une promenade, voire un voyage ? Rien de plus simple : les comédiens miment la promenade ou le voyage en veillant à rester toujours au même endroit sur la scène : ce sont les décors qui bougent, actionnés tout simplement par des assistants à partir des coulisses. L'effet est époustouflant ! Les spectateurs ont l'impression que les acteurs marchent et avancent réellement. Vous pouvez aussi utiliser un rétroprojecteur : il suffit alors de peindre ou de coller des images de paysages sur des transparents que vous ferez évoluer sous la source lumineuse au cours de la pièce et le paysage défilera alors sur le fond de la scène.

ACCESSOIRES

Les accessoires, c'est-à-dire les objets employés dans la pièce, peuvent être très simples. Vous trouverez d'ailleurs la plupart d'entre eux dans n'importe quelle maison.

Cependant, il est parfois préférable que les enfants confectionnent eux-mêmes des accessoires à la taille exagérée. Les meilleurs matériaux à employer sont les suivants : pour la forme de base, du carton, de la toile ou du treillis métallique ; pour la surface, du papier mâché, du papier amidonné ou du plâtre. Vous pourrez ainsi réaliser de grandes créations qui resteront toujours légères et par conséquent faciles à transporter.

LE PUBLIC

Les spectateurs ont déjà pris place : les petits devant, les grands derrière. Tous les invités sont arrivés et se réjouissent d'assister à la représentation théâtrale ! La scène est encore plongée dans l'obscurité, le rideau est tiré. La partie de la salle réservée au public est en revanche fortement éclairée, les murs sont richement décorés, une musique se fait faiblement entendre et un parfum subtil flotte dans la pièce. La tension monte et l'ambiance est excellente. Les acteurs, qui de temps à autre regardent discrètement derrière le rideau, s'en rendent compte. Ils attendent avec impatience le moment de monter sur scène ! Toutes les conditions sont ainsi réunies pour que le spectacle se déroule parfaitement. Tout a été minutieusement prévu et organisé de main de maître.

AMBIANCE !

En appliquant les idées originales suivantes, vous permettrez au public de conserver son enthousiasme – et cette ambiance se transmettra automatiquement aux comédiens, sur la scène.

L'INVITATION

L'art d'annoncer la pièce de théâtre est déjà une étape importante. La curiosité des spectateurs doit être excitée à un point tel que tous auront à cœur de venir voir ce qui se passe. Si vous ne mentionnez que le titre de la pièce, par exemple "La fête de la forêt", vous ne déchaînerez pas l'enthousiasme. Si, en revanche, vous ajoutez quelques commentaires comme : "La fête de la forêt a bien failli ne pas avoir lieu, mais le renard a eu une idée de génie pour préserver ces réjouissances !", les destinataires de l'invitation se poseront des questions : "Comment, pourquoi… ?" et vous aurez gagné ! Leur curiosité aura été éveillée.

LE TICKET D'ENTRÉE

Dans ce domaine également, les enfants peuvent imaginer quelque chose d'original. Un simple morceau de papier comme ticket d'entrée, c'est banal. Par contre, si, pour la représentation de "La marmelade des nains", les spectateurs reçoivent chacun un bonnet de nain, tout devient différent ! Vous pourrez confectionner ces petits couvre-chefs en papier de couleur ou en tissu. Il suffira pour ce faire d'en découper et assembler grossièrement les différents éléments.

Pour la pièce "Dans la forêt maléfique", vous pourriez transmettre à chaque invité une pierre, tandis qu'un petit poisson (en carton) dans un filet (à citrons) conviendra parfaitement à la pièce "Le pêcheur et la sirène".

DÉCORATION DE LA SALLE

Des murs nus donnent une apparence froide et fade. Pourquoi plutôt ne pas laisser courir votre imagination pour décorer la salle et placer ainsi les spectateurs dans l'état d'esprit adéquat ? Voici un exemple de cette "métamorphose". Chaque coin de la pièce est aménagé différemment : dans l'un se trouve un gros rocher, réalisé à partir de papier mâché appliqué sur un treillis métallique, dans un autre brille un soleil en papier-parchemin, éclairé de l'arrière. Dans le troisième flottent des nuages en draps cousus et bourrés de boules de papier, d'où pendent des gouttes d'eau en papier également, suspendues à des fils de nylon. Quant au dernier coin, il ressemble à un château royal ou à une salle du trône. Les invités ne sauront déjà plus où donner du regard et attendront d'autant plus impatients le début du spectacle.

ENTRACTE

Quelle surprise ! Les spectateurs se voient servir un rafraîchissement au cours de l'entracte. Mais de quoi s'agit-il ? D'eau minérale avec du sirop de myrtille, symbolisant de l'eau de mer et convenant à la pièce "Le pêcheur et la sirène", ou d'un cocktail de fruits rose-rouge avec des glaçons et des pétales de rose pour "La Belle au bois dormant". Pour la pièce "La marmelade des nains", les invités reçoivent même une soucoupe avec un peu de "marmelade de nains", qui peut être en l'occurrence de la glace, du pudding ou une autre pâtisserie, voire, pourquoi pas, du pain et de la confiture.

THÉÂTRE INTERACTIF

L'ambiance montera d'un cran si le public est intégré dans l'action de la pièce ! Les spectateurs peuvent notamment participer à la pièce de la façon suivantes : ils maintiennent les décors, comme les arbres de "La forêt maléfique", ou aident le responsable "son" à produire les bruitages nécessaires en tapant par exemple des doigts sur le dossier de la chaise du voisin de devant pour créer le bruit des gouttes de pluie, ou encore en sifflant et soufflant pour suggérer le grand vent de tempête (" Le pêcheur et la sirène"). Pour les scènes de marché, les spectateurs peuvent devenir les assistants des marchands et recevoir à cet effet un tablier et un foulard (voir pages 44-45). De même, ils sont invités à danser lors de la grande fête au château du roi (voir page 51).

Lorsqu'après une telle participation les spectateurs retournent à leur place, ils sont absolument ravis et les comédiens sont alors remerciés par des applaudissements nourris à la fin du spectacle.

LE TRAC

La nervosité ressentie avant une grande représentation est terrible, voire tout à fait insupportable pour certains enfants ! Les genoux flageolent, la voix tremble, la gorge est serrée, les acteurs ont oublié leur texte, tout le monde court, trébuche, tombe sur les décors… C'est la panique ! Pour éviter le chaos complet, l'animateur doit absolument intervenir. Mais que peut-il faire s'il a lui-même l'estomac noué par l'anxiété ? Quelques jours auparavant, il doit donc imaginer un moyen de gérer le stress – le sien comme celui des jeunes comédiens. Le rire est bien entendu le meilleur remède, mais d'autres "trucs", par exemple des jeux, peuvent s'avérer très efficaces.

JEUX D'ASSOUPLISSEMENT

Les enfants se tiennent debout, jambes écartées. Ils s'étendent, s'étirent et tentent de se détendre à l'aide d'exercices d'assouplissement. Vous trouverez des jeux de ce type aux pages 14 et 15.

EXERCICES D'ÉLOCUTION

Des vers et poèmes comiques seront parfois chuchotés, parfois criés, parfois chantés sur un ton aigu et parfois murmurés d'une voix grave. Ces exercices sont très efficaces pour lutter contre le syndrome du "chat dans la gorge". Vous trouverez d'autres exercices de diction et d'élocution aux pages 28 à 31.

VEILLER SUR LES AUTRES ACTEURS

Toute représentation théâtrale est l'occasion pour les différents membres de la troupe de resserrer les liens qui les unissent. Mais comment un acteur peut-il aller vers les autres, alors qu'il s'efforce lui-même de lutter contre sa propre nervosité et de réprimer son excitation ? Dans ce cas, le jeu suivant est parfaitement approprié : Tous les enfants forment un cercle et se tiennent par la main. Le premier joueur serre la main de son voisin de droite qui en fait autant avec le sien et ainsi de suite. Cet exercice calme réellement, car chaque enfant sent la présence d'amis à ses côtés. Il sait qu'il peut compter sur les autres et avoir confiance en eux. Les comédiens vont se soutenir et s'aider mutuellement, et c'est là un sentiment merveilleux.

DÉDRAMATISER !

Les acteurs seront apaisés s'ils prennent bien conscience des réalités suivantes.

- S'ils restent coincés ou ont oublié leur texte, l'animateur les aidera !
- S'ils commettent des erreurs à cause de l'énervement, les autres ne leur en voudront pas !
- Personne parmi les comédiens n'échappe à la peur et à la nervosité, même si certains le montrent alors que d'autres parviennent mieux à le cacher. Mais ensemble, ils réussiront la représentation !
- Tous les membres du groupe apporteront leur aide en cas de problème. Et il sera même possible d'improviser si nécessaire. Le groupe l'a probablement expérimenté lors des répétitions et des choses très amusantes peuvent alors se passer !
- Sachez enfin que le trac est un sentiment des plus exaltants qui amène les comédiens à se dépasser !

LA FORMULE MAGIQUE

Elle réalise de véritables miracles, c'est absolument indiscutable – et tout à fait surprenant ! L'essentiel est que le groupe s'accorde sur un vers donné, quel qu'il soit. Prononcée avant chaque représentation, cette "formule magique" génère enthousiasme et énergie. Procédez ainsi :

Chaque représentation théâtrale commencera de la même façon. Les comédiens forment un cercle très serré en entourant de leurs bras les épaules de leurs voisins de droite et de gauche. Les enfants commencent par chuchoter leur phrase : "Un pour tous, tous pour un !". Ils la répètent une seconde fois un peu plus haut, puis une troisième en criant de toutes leurs forces.

Ce rite donne du courage, de l'enthousiasme et de l'énergie ! Les yeux des acteurs brillent, ils rient, se tapent sur l'épaule… Aucun doute, on peut ouvrir le rideau ! Un pour tous, tous pour un !

INDEX

MASQUES ET MAQUILLAGES

ACCESSOIRES